L'origine de nos amours

Erik Orsenna

de l'Académie française

L'origine
de nos amours

roman

Stock

Couverture Coco bel œil
Illustration de couverture : © www.plainpicture.com

ISBN 978-2-234-07892-5

Pour Thierry
Pour Juliette

Un jour, je me suis remarié.

Le lendemain, mon père quittait son domicile.

Entre les deux événements, personne dans la famille n'a fait le lien.

Et pourtant, mon frère est psychiatre.

J'avais ma petite idée mais j'ai préféré la garder pour moi. Mon père, je le connaissais mieux que personne. Pour une raison toute simple : nous avions divorcé ensemble. Lui de ma mère, moi de ma première femme, Nathalie. Lui le lundi, moi le mercredi, de la même fin juin 1975. Et rien ne rapproche plus qu'un divorce en commun. Alors, je savais que les coups de tête n'étaient pas son genre. Il suivait des plans, toujours généreux dans leur objectif, mais le plus souvent déraisonnables.

Cet été-là, nous avons commencé à parler d'amour, mon père et moi. Nous n'avons plus cessé.

Jusqu'alors, nous n'avions pas échangé trois mots qui vaillent.

– Tu crois que le Racing remportera le championnat cette année ?

Ou :

– Bravo pour tes résultats en mathématiques ! Tu es vraiment sûr de ne pas vouloir tenter Centrale ?

Il me regardait à peine : dans le perpétuel et lancinant conflit familial, il me croyait du côté de ma mère. Il multipliait les allusions que je m'acharnais à ne pas vouloir comprendre :

– Vous avez vu ce que joue la Comédie-Française ? *Arlequin serviteur de deux maîtres.* Tu devrais y emmener Éric.

Ou :

– Oh ! là là ! ces centristes me dégoûtent. Toujours à se vendre au plus offrant, tantôt à la droite, tantôt à la gauche.

Ou, plus direct et les yeux dans les yeux :

– Dans la vie, Éric, il faut choisir son camp.

Le temps passait et nous continuions de nous ignorer.

Lui, après avoir consacré tous ses temps libres à la course automobile, se passionnait maintenant pour l'aviron, et se proclamait « gaulliste de gauche ».

Moi, je militais au « Parti socialiste unifié ».

Et puis un jour, j'avais vingt-huit ans, lui cinquante, nous avons divorcé la même semaine.

Je suis parti seul me refaire une santé dans notre île de Bréhat. Pour retrouver des forces, rien ne vaut la proximité de la mer. Peut-être parce que toute vie vient d'elle. Il doit nous rester une très lointaine mémoire de cette énergie première.

Chaque jour, à dix-huit heures trente précises, je partais me promener. Entre autres maladies, j'entretiens avec le temps des relations maniaques. Aucun touriste n'encombrait encore les chemins. L'air sentait l'iode et la jeune fougère. La grande lumière de l'été refusait de baisser. Si cette lumière avait été musique, on aurait dit qu'elle tenait la note. Chez nous, la fin d'après-midi est un moment reposant pour l'oreille parce que les goélands arrêtent de ricaner. Ils laissent l'espace aux oiseaux terrestres. Et moi, dans les bruyères et les roseaux de la lande, dans les fleurs du jardin de Tante Huguette Imbert (née Saint-Exupéry), dans les rochers roses qui bordent la mer, je ne voyais que le sourire de Nathalie. Celui qu'elle avait choisi, le premier jour, pour retenir mon attention dans la grande bibliothèque de la rue des Saints-Pères.

Pourquoi, mais pourquoi ce sourire s'en était-il si vite allé ? À l'évidence, c'est à la poursuite de ce sourire qu'elle était partie. Sans doute les femmes ne vous quittent que pour cela. Pas pour un autre homme. Pour tenter de retrouver ailleurs un sourire qui les a fuies.

Avouons qu'à bien y réfléchir, le dossier Nathalie n'était pas à mon avantage. La marche est propice aux examens de conscience.

À dix-neuf heures pile (notre île est petite : à moins de tourner en rond, nous arrivons vite au bout de nos parcours), j'atteignais le bas des marches. Quelques essoufflements plus tard, j'avais atteint notre sommet, la chapelle Saint-Michel, trente-trois mètres au-dessus du sol.

Assis le dos contre la croix, je regardais vers l'ouest. J'attendais que le paysage m'explique ce qui était arrivé à mon amour.

À ceux qui s'étonneront de la conversation qui va suivre, j'indiquerai seulement que ma famille est d'origine cubaine. Dans cette région caraïbe, le Créateur a mieux réparti qu'ailleurs le don du langage. Là-bas tout parle, y compris les pierres et la mer et le ciel. Et tout répond. Il suffit d'écouter.

Alors voici ce que me disait le paysage :

– Bonsoir, Éric ! Si tu le veux bien, commençons par le bonheur. Peut-on dire que tu as vécu dans cette île les heures les plus heureuses de ta vie ?

– Oui.

– Et pourtant, tu vois comme Bréhat est morcelé ! Un archipel. Comptons ensemble : trois cent soixante-cinq îlots, un pour chaque jour de l'année.

– Je le vois.

– Bon. Maintenant, les marées. Ici la mer ne tient pas en place. Depuis ton arrivée, elle a baissé de deux mètres. Bientôt, la vase paraîtra. Qui plus tard sera de nouveau recouverte.

– Je sais.

– Conclusion : le paysage qui t'a donné le plus de bonheur est éphémère et morcelé. Comment pouvais-tu offrir à une femme l'unité et la confiance qu'elle était en droit d'attendre ?

Voilà ce que me répétait chaque soir le paysage, celui qui s'étend de la côte ouest de Bréhat jusqu'au chenal du Trieux.

Je revenais dans la pénombre si durable de juin. Décidément, elle semblait éternelle, la nuit aurait beau faire.

Allons, me disais-je, je n'ai pas tous les torts. Moi qui aurais tant voulu aimer… La géographie ne m'a pas aidé.

*
* *

Faute de mieux, j'avais décidé d'écrire.

Que faire de mon amour mort ?

Le jeter dans la rue, pour qu'il soit emporté par les éboueurs et puis brûlé dans l'incinérateur ?

Trop triste, trop bête, inutile.

Tout ça pour ça ?

Autant le recycler en livre.

Je venais de m'installer dans l'ancienne étable, elle aussi recyclée en maisonnette au milieu des agapanthes. Où trouver mieux sur Terre pour abriter les amours débutantes (souvenirs, souvenirs...) ? Mais aussi pour réparer les éclopés de la conjugalité ?

Je venais de déposer sur la table en bois mes outils de l'écriture : bloc Rhodia 16 noir au centre (14,8 × 21), à droite le crayon vert 3B, à gauche le couple des irréconciliables, la gomme et le taille-crayon.

J'ai ouvert la fenêtre. L'air sentait le chèvrefeuille. Allons, la vie repart. Au travail ! C'est alors que la porte du petit jardin de curé s'est ouverte en grinçant. Les portes ont des complicités particulières avec les écrivains. Elles savent quand nous voulons du calme. Elles résistent à l'intrusion, elles égarent les clefs, elles se bloquent. Et lorsqu'elles sont bien forcées de céder à la poussée de l'importun, elles grincent. Au moins pour avertir.

Mon père ne m'avait pas encore vu. Il souriait. Non de son sourire charmeur habituel. Juste une esquisse de mouvement des lèvres. Un enfant intimidé. Je n'ai pas eu le temps d'être touché car, mauvaise nouvelle, un sac prolongeait son bras, preuve qu'il comptait rester quelques jours. Il a regardé la table, mon attirail d'écrivain.

– Ne t'inquiète pas, je ne te dérangerai pas. Je voulais juste être là.

Je croyais avoir tellement, tellement besoin d'être seul. Je n'ai pas répondu. J'ai juste hoché la tête et allumé le gaz sous l'eau. Rien de tel qu'un mauvais café soluble pour donner du goût au reste de l'existence.

Mon père n'a pas pris le temps de s'asseoir.

– Bon, je vais préparer le bateau.

*
* *

Cet été-là, nous aurons beaucoup navigué.
Toujours en silence :
Kerpont du Chien, La Moisie, Les Héaux, Passage de la Gaine ou Morbic, Tout-L'Horloge, Saint-Riom… Tour de l'île.

Aucune nécessité de verbiage quand on pratique la voile depuis l'enfance. Pas besoin de parler pour dire. D'ailleurs le vent soufflait trop fort, il aurait emporté les conversations.

À peine un « on y va ? », de temps en temps. Et la petite comptine bien connue des voileux : Paré ? Envoyez !

Le soir, même mutisme.

– Je te laisse.

Et il disparaissait. Il avait tant d'amis tout près, y compris des camarades de classe. Mon père n'était pas un touriste, lui. Et pas un estivant. Il avait passé deux années complètes sur l'île, hivers compris. C'est l'hiver seul qui vous fait adopter par les vrais Bréhatins, le partage de la vie dans le gris perpétuel de novembre à mars.

*
* *

Finalement c'est moi qui ai dérangé mon père.

Je vous rappelle : c'était l'été 1975. L'été de Gérard Manset.

Il venait d'écrire un tube. Un tube rien que pour nous. Un tube qui racontait notre nouvelle vie de divorcés. Et pourtant aucun de nous n'avait jamais rencontré Gérard Manset.

Il voyage en solitaire.

Pour les amoureux, une chanson d'été est un destrier, un alezan magique qui vous emporte sur son dos pour visiter le paradis. Pour ceux qui n'ont pas d'amour, l'été est un gouffre. Une chanson d'été est un pont qui vous aide à franchir ce gouffre de solitude. Entre les moments où je déchirais des pages de plus en plus mauvaises, je ne pouvais m'empêcher de fredonner tout bas :

Il voyage en solitaire
Et nul ne l'oblige à se taire
Il chante la terre (bis)

Mon père faisait semblant de ne pas entendre.

Mais il est seul
Un jour l'amour l'a quitté
S'en est allé
Faire un tour de l'autre côté
D'une ville où y'avait pas de place pour se
garer.

Quand il s'agaçait trop de cette rengaine, mon père sortait.
Et moi, sitôt arrivé à la fin de la chanson d'été,

Car c'est pour la joie qu'elle lui donne
Qu'il chante la terre
La la la

je recommençais. Non sans me poser toujours la même question imbécile : pour « chanter la terre », vaut-il mieux écrire ou naviguer ?

*
* *

Mon père ne m'a parlé, vraiment parlé qu'au dernier soir.

– Ne t'inquiète pas, je m'en vais demain. Je voulais juste te dire...

Il a regardé longtemps la cheminée vide. Il semblait s'étonner. Et pourtant quoi de plus normal que de ne pas faire de feu un 20 juin ?

– Ce n'est pas de notre faute.

– De quoi parles-tu ?

– De nos mariages, de nos échecs. Nous ne sommes pas responsables.

– Pour ça, je suis bien d'accord ! Responsables en rien. Sauf d'avoir eu la bêtise de choisir des femmes qui ne nous aimaient pas.

– C'est justement ça dont je voudrais qu'on discute un jour, quand tu auras le temps. Je crois bien que j'ai reçu en héritage une malédiction. Et je te l'ai transmise. Désolé pour le cadeau. Enfin, c'est une hypothèse. Le gène des amours impossibles. Sans doute vient-il de Cuba. Je te raconterai. Et maintenant je vais me coucher. Cette mer hachée, vers La Horaine, m'a moulu.

Je n'ai pas cru devoir lui parler de ma conversation avec le paysage. Si nous voulions avoir une chance, un jour, de réussir nos amours, une petite voix me conseillait de changer, lui et moi, de méthode. À trop vouloir nous trouver des excuses, nous n'avancerions guère. Il fallait, aussi, et sans complaisance, chercher des explications.

C'est le lendemain, juste avant de partir, que mon père m'a enseigné la « méthode de la pêche à pied ». Il me voyait si malheureux.

– Mon fils, voici ce que je te propose. Te souviens-tu des examens de conscience ? Avant de s'endormir, on doit faire la liste des péchés commis durant la journée. Il suffit de s'en repentir pour entrer tout pur dans la nuit.

– Je me souviens. Je te l'avoue, j'ai oublié de pratiquer.

– Aucune importance. Je te propose un examen de bonheur.

– En ce moment, ça va être difficile !

– Attends que je t'explique. Chaque soir, avant de t'endormir, tu vas revivre la journée passée.

– Quelle horreur !

– Et tu vas y récolter les bonheurs, même les plus ténus, les plus fragiles, une lumière sur l'eau, un chat qui passe, une main sur l'épaule.

– Et alors ?

– Tu verras que, dans toute journée, même la pire de toutes les journées, il arrive que la vie sourie.

– Je ne te crois pas.

– Essaie. Au bout d'une semaine, peut-être deux, peut-être un mois, tu renverseras ton panier.

– Quel panier ?

– Celui de la mémoire. Là où tu auras déposé tous les trésors que tu auras ramassés. De même, dans la pêche à pied, on rapporte toutes sortes de choses : une araignée de mer, une palourde, un bigorneau, un bernard-l'ermite...

– Et alors ?

– Alors tu t'apercevras que ces trésors forment un gué, les pierres d'un gué.

– Et alors ?

– Les gués permettent de traverser les rivières, ou, si mon fils, un peu bête, préfère que je lui mette les points sur les i, les collections de bonheurs minuscules permettent de traverser les passes difficiles.

– Mon père est un sage.

Dans sa collection de sourires, il choisit celui qui les faisait craquer toutes tant il ressemblait à l'acteur américain Clark Gable.

– Pour ça... demande à mon ex-femme. Je veux dire : ta mère !

*
* *

Peu à peu la méthode de la pêche à pied fit ses preuves. Jour après jour et juillet succédant à juin, mon panier se remplissait de contentements aussi improbables qu'hétéroclites.

Une phrase trouvée pour mon récit : « sans musique, la vie râpe ».

Une belle navigation en solitaire, par vent force sept sur l'échelle de Beaufort, un enchaînement de virements propres et précis dans le dur clapot d'un courant contraire.

Par la magie de la lecture au soleil, l'irruption soudaine, dans le petit jardin breton, d'un paysage nocturne et japonais : merci Nicolas Bouvier ! Merci le haïku de Bashō :

Somnolant sur mon bourrin
Rêvasseries
La lune au loin
Fumée du thé

La deuxième ligne de la *Première Gymnopédie* d'Erik Satie, quand la main droite se réveille : fa, la, sol, fa, do dièse, et les commentaires hilarants du compositeur : « La main gauche vit comme sur un mouvement de vague. »

Un bref émerveillement devant les derniers boutons du double rosier Iceberg. Comment s'allient, sous la beauté et peut-être pour la faire naître, la fragilité et l'obstination à trouver la lumière…

C'est ainsi que me revint, d'abord timide puis déployée, la joie de vivre, ce très étrange sourire intérieur.

C'est ainsi qu'une porte s'ouvrit et que mon père, l'inventeur de la méthode de la pêche à pied, vint prendre en moi toute sa place. « Ne t'inquiète pas, je ne te dérangerai jamais. » Depuis ma naissance, nous avions vécu tous les deux bien des moments heureux. Pour ne pas blesser ma mère, je les voulais, je les croyais oubliés. Voilà qu'ils repassaient la tête.

I

Mon père est un héros.

Personne ne m'arrachera du cœur cette conviction. D'accord, il ne fut pas *résistant*. D'accord, il ne fit sauter aucun train. D'accord, il s'est engagé un peu tard, alors que le Second Conflit Mondial venait de finir. Mais il avait signé le formulaire *avant* Hiroshima, *avant* Nagasaki. Qui pouvait prévoir le double champignon atomique ?

Il a donc failli devenir un soldat de grande valeur. Première preuve de sa nature de héros.

Passons à sa seconde gloire.

Soyons francs : il n'a pas évité seul la conflagration qui faillit plus tard éclater entre les États-Unis et la Russie soviétique, entre le « Monde libre » comme on disait encore et les « lendemains qui chantent », comme on n'osait déjà plus dire. Mais un jeune homme qui, en 1949, décide de reprendre une petite usine d'aimants, cet homme-là est, à l'évidence, un militant de la paix, un apôtre du Rapprochement général, un ennemi convaincu de la Guerre à toutes les températures, chaude ou froide.

Les aimants produits par cette minuscule usine servaient à fabriquer des jouets. Je vais vous expliquer. Soit une figurine de skieur. Vous lui collez sous les chaussures un morceau de métal. Vous le placez sur une étendue blanche parsemée de portes de slalom. Sous la piste se trouve l'aimant. Il vous suffit de le bouger pour entraîner le skieur. De même avec des modèles réduits de voitures ou de motos.

Mon père aurait-il consacré toutes ses forces aux aimants s'ils n'avaient contribué à égayer la jeunesse tout en lui apprenant que le mouvement, c'est la vie ?

Militaire, pacifiste, pédagogue, je vous avais prévenu : mon père fut un héros.

*
* *

Dans la famille de mon père, côté Lyon, tout le monde est diplômé de l'École Centrale des Arts et Manufactures.

Inutile de dire que nous avons tous été élevés dans la légende de cette institution.

Alphonse Lavallée, son créateur en 1829, est pour nous un ancêtre tutélaire. L'ambition qu'il avait alors affirmée nous valait parole d'Évangile :

« Nous fournirons à l'industrie naissante les médecins des usines et des fabriques. »

Et les Centraliens les plus célèbres veillaient sur nos études. Comment voulez-vous paresser quand Gustave Eiffel, André Michelin, Armand Peugeot, Louis Blériot froncent les sourcils devant le plus infime relâchement de votre attention, la moindre erreur dans vos devoirs ?

Dans cette lignée d'ingénieurs mon père faisait tache. Seule l'École Nationale Supérieure de la Conserve avait bien voulu l'accueillir.

Si bien qu'à sa grande honte il dut recourir à ses cousins centraliens et bretons pour se faire expliquer le minimum scientifique nécessaire à ses activités.

Reprenant, à vingt-cinq ans, cette petite entreprise de jouets dont l'aimant était le personnage principal, il débarquait dans l'inconnu. Avant que son ignorance ne s'ébruite parmi son personnel, il avait décidé de recourir au savoir familial, incontestable puisque centralien.

Il m'avoua son voyage à Quimper bien des années plus tard :

– C'était tellement humiliant, tu comprends ?

– Mais, papa, un homme ne peut pas tout savoir...

– Sauf un Centralien ! Les Centraliens, comme leur nom l'indique, sont des ingénieurs *généralistes*. Ils doivent avoir réponse à toutes les questions.

– Dont les tiennes.

– Dont les miennes. Mais je ne sais pas si je dois te raconter cette journée qui n'est pas à l'honneur de ton père.

– Tu me connais et tu me priverais d'une histoire ?

Pour des raisons obscures, une suite de blessures sans doute infimes mais d'autant plus purulentes que sans cesse rouvertes, les cousins bretons de mon père, les deux frères ingénieurs généralistes, se vouaient depuis l'enfance une haine tenace.

Une haine que leur père, ancien des Arts et Métiers, n'avait fait qu'accentuer en prenant soudain sa retraite sans désigner de successeur :

– Ainsi vous serez bien forcés de vous entendre.

Dans un monde idéal pour les manufactures, c'est-à-dire régi par la seule Raison Pratique, les deux Centraliens avaient tout pour former, dans la capitale du Finistère Sud, la plus performante des équipes et porter à des sommets de gloire et de rentabilité leur entreprise d'équipements agricoles.

Car le cadet aimait *concevoir*.

Quand l'aîné ne voulait que *réparer*.

Hélas, le concepteur méprisait la réparation, occupation subalterne et qui laisse les mains sales. Loïc, tu pourrais quand même te laver avant de passer à table. Je me demande comment ta femme supporte ces ongles noirs.

Hélas, le réparateur vitupérait le concepteur.

Si ses usines étaient mieux pensées… quelque chose me dit que Jacques, mon prétentieux de frère, vicieux comme il est, doit les prévoir juste assez fragiles pour tomber en panne au milieu de mes vacances.

Par le premier train du matin mon père partit donc pour la Bretagne. Ses deux cousins l'attendaient à la gare, goguenards.

– Alors le Parisien a besoin des péquenauds !

Depuis l'enfance, mon père avait l'habitude de ces ricanements : Parisien, tête de chien, Parigot, tête de veau, à cheval sur un maquereau dans la baie de Concarneau, et autres comptines de la même délicatesse.

La leçon eut lieu chemin de Halage, route de Penhars, chez Marguerite, la mère des frères ennemis. Elle saisissait toutes les occasions pour les rapprocher même si elle savait l'entreprise désespérée.

– Qu'y avait-il comme tempêtes dans mon ventre pour avoir engendré des opposés si parfaits ?

Ils avaient apporté un tableau noir portatif, le genre de cadeau qu'aucun enfant n'a jamais demandé pour Noël et que pourtant il découvre, dépité, au pied du sapin, le 25 décembre.

Ils commencèrent d'aligner des équations.

– Soit $\vec{m}$ le moment magnétique et v le volume, l'aimantation M du matériau considéré s'obtient par l'équation simple :

$$\vec{M} = \frac{\mathrm{d}\vec{m}}{\mathrm{d}v}$$

Jusque-là, pas de problème, j'imagine ?

Craie à la main, l'aîné des Centraliens regardait mon père. Lequel, pauvre de lui, était déjà perdu. « Moment magnétique », l'expression lui plaisait mais comme venue d'une langue lointaine, du même genre que le basque ou le hongrois, sans relation avec le français. « Moment magnétique », « Moment magnétique », il se répétait les deux mots, espérant peut-être les apprivoiser ainsi.

– Concentre-toi, on va maintenant passer aux pôles.

– Pour une fois, mon frère a raison, tu *dois* comprendre la loi d'attirance des pôles, même si l'affaire se corse.

– D'une manière générale, les contraires s'attirent...

Cette fois, mon père se réveilla :

– Je conteste !

– Que veux-tu dire ?

– En matière d'amour, c'est plutôt la ressemblance qui fait les unions durables.

Les deux centraliens se regardèrent, interloqués, il est vraiment idiot, notre Parisien, ou quoi ? Ils se reprirent vite.

– On parle de choses sérieuses.

– Scientifiques.

– Et pas d'états d'âme.

– Oui ou non, as-tu besoin de comprendre ton métier ?

– Oui ? Alors concentre-toi !

– Le pôle Nord n'existe pas sans le pôle Sud...

– ... Ils sont indissociables...

– ... Nous t'éviterons la loi de Maxwell qui explique cette complémentarité...

– Il faut quand même que tu saches : petit un, que les pôles indiquent un axe unique passant par un point central ; petit deux, que les lignes de champ s'alignent le long de cet axe ; petit trois, que le champ magnétique est maximum autour de ces pôles ; petit quatre, qu'il décroît à mesure que l'aimant s'éloigne ; petit cinq, écoute bien, que l'effet combiné des deux pôles forme, hors de cet axe, des lignes de champ orientées le long de cercles passant par le centre entre les deux pôles...

Le cousin aîné applaudit.

– Bravo, mon frère, cette fois tu m'as bluffé. Tu n'aurais pu être plus clair. On a beau dire, l'École Centrale, quelle formation ! Même quand on l'intègre, comme toi, par hasard. Alors le

Parisien, à l'aise ? Tu vas pouvoir enfin contrôler tes fournisseurs.

– Et enchanter tes clients.

– Pour les clientes, tu sais déjà ! Pas besoin de t'apprendre quoi que ce soit.

– Quelle malédiction d'être ta femme !

– Ah, ça oui. Cette pauvre Jeannine en a, du mérite, à rester avec un tel cavaleur.

– À propos, elle va bien ?

La leçon dura jusqu'au déjeuner. Pour se remettre des obscurités sadiques de la physique fondamentale, rien de tel qu'un buisson de langoustines, accompagné d'un muscadet de chez Morel.

L'heure était déjà venue de reprendre le train. Le long du chemin de Halage, la rivière Odet n'était plus qu'un ruisseau bordé de vase. Marée basse. Voulant jouer sinon les bons élèves, du moins ceux qui s'intéressent, mon père eut le tort, le grand tort de poser une ultime et désastreuse question :

– Et les mouvements de la mer ? Ils ont un lien avec le magnétisme ?

L'aîné des Centraliens considéra, désolé, son malheureux cousin.

– Quand je pense que nous avons beaucoup de gènes communs ! Je ne comprendrai jamais le parcours de l'intelligence.

C'était l'occasion qu'attendait le cadet.

– Et la masse, qu'en fais-tu ? L'attirance par la masse ?

Les deux frères ennemis joutèrent jusqu'au quai de la gare, jusqu'à en venir presque aux mains.

À peine assis, mon père s'endormit, bercé par les moments magnétiques. Il n'avait pas même pris le temps de remarquer qu'à son nord-est, installée sous la photo des Grands Monuments de France (Chenonceau), une jeune dame lui avait souri. Quand il se réveilla, vers Vitré, c'est elle qui somnolait, en toute élégance, ni relâchement du corps, ni le moindre ronflement. Mon père attendait pour sourire qu'elle rouvre les yeux. L'événement, minuscule, d'une paupière se relevant se produisit vers Chartres.

La suite, je ne la connais pas. Nous avons eu beau parler et reparler d'amour, mon père et moi, il n'a jamais voulu me donner la liste de ses *moments magnétiques*. Il faut dire qu'il ressemblait, trait pour trait, à l'acteur américain Clark Gable, l'inoubliable Rhett Butler d'*Autant en emporte le vent*, le craquant Fletcher Christian des *Révoltés du Bounty*. Quand on a hérité d'un tel sourire, pas besoin de Centraliens pour expliquer les rapprochements. Après enquête et recoupement, j'ai tenté de l'établir, cette fameuse liste. Je sais qu'elle est loin, bien loin de l'exhaustivité. Mais sans doute admettrez-vous comme moi qu'elle a le mérite d'exister.

Mon père n'a plus jamais tenté de s'expliquer rationnellement le secret des aimants. Il se contentait, notamment devant ses créanciers, de parsemer sa présentation des mots savants qu'il avait appris de ses cousins : *induction magnétique*, *tesla* (unité de mesure), *néodyme* (métal gris argenté)…

Les banquiers hochaient la tête, subjugués. Du moins, c'est ce que croyait mon père. Un sous-directeur d'agence du *Crédit Lyonnais* n'est pas forcément dénué de culture scientifique, même à Neuilly.

Mon père n'avait pas pour autant abandonné l'ambition de savoir pourquoi certaines pierres attirent et d'autres non. Mais les équations ne lui semblaient pas le bon chemin pour percer le mystère. Le royaume poétique de la magie lui convenait mieux. Il n'était décidément pas fait pour l'École Centrale des Arts et Manufactures. Y a-t-il d'ailleurs beaucoup de Cubains et de descendants de Cubains dans cette élite de la Raison Pratique ?

*
* *

Je suis revenu à Neuilly, dans la rue Garnier, siège de cette minuscule société de jouets où mon héros de père luttait, à sa manière, aimantée, pour le rapprochement des peuples et l'élévation de la jeunesse. Je ne peux m'empêcher de remonter le fil des histoires, jusqu'à l'origine des noms. Je m'étais renseigné. Ce Garnier, Joseph-François, fut médecin et cinq ans maire (1843-1848). Son père, un autre Joseph-François, est connu des amateurs de hautbois pour sa méthode d'enseignement de cet instrument trop souvent dédaigné. Comme je le redoutais, l'usine a disparu, remplacée par une agence immobilière qui m'a semblé sérieuse, quoiqu'un peu trop confiante dans la réalité des chiffres. Comment peut-on se montrer si précis ? Les prix qu'elle annonce pour le mètre carré s'étalent entre 8 786 et 10 715 euros. Ils confirment, en tout cas, qu'il vaut mieux, dans la vie, acheter de la surface et attendre que sa valeur monte plutôt que s'échiner à vouloir émerveiller les enfants avec des jouets aimantés.

Au numéro 29, le restaurant *Marinella* ne désemplit pas. Renseignements pris auprès du patron, il n'a ouvert ses portes qu'en 2000, soit quarante-cinq ans après la faillite de mon père. Dommage ! Lui qui aimait tant la cuisine italienne y serait venu en habitué oublier ses mauvaises affaires devant un plat de pâtes fraîches aux cèpes.

Je ne crois pas qu'à cette époque il ait jamais pris le temps d'aller ramer sur la Seine. Son entreprise lui causait trop de soucis. Pourtant le

Cercle Nautique de France, situé depuis 1875 à deux pas, sur l'île du Pont, lui aurait, j'en suis sûr, ouvert ses portes et prêté ses bateaux. J'ai consulté son site qui montre des installations de qualité, même si le style de sa présentation pourrait peut-être gagner en simplicité : « L'aviron est un sport de propulsion et de glisse nécessitant une médiation technique très importante et par conséquent une pratique régulière et assidue. » Aucune tour ne hérissait encore les collines de Puteaux et de Courbevoie. Heureusement ! Elles auraient encore un peu plus écrasé mon père.

*
* *

Tous les enfants dont les parents travaillent dans l'industrie du jouet me comprendront. Nous ne fêtions Noël que le 26 décembre. Car le 24 et même encore le 25, il fallait répondre aux commandes retardataires. Mon père jouait les accablés. « Quand je pense que ces soirs-là je ne suis pas avec vous. Quel métier ! Un sacerdoce, je vous dis ! »

Mais ses grognements sonnaient faux. Cette activité, même de dernière minute, lui redonnait de l'espoir. Peut-être réussirait-il à sauver son usine ?

Et puis l'hiver vint, très froid, de 1954. Notre père nous a annoncé la bonne nouvelle :

il changeait de métier, nous ne subirions plus les moqueries de nos camarades. Entre le 23 et le 25, Noël allait reprendre sa place habituelle dans le calendrier : vive le 24 ! Vive le 24 ! Nous avons crié de joie, un peu trop fort, pour lui faire plaisir.

Hélas, je ne suis pas une femme. Je ne peux pas me repérer dans les années avec la date de mes grossesses. Je dois m'inventer d'autres repères. Par exemple les vainqueurs du Tour de France. Si Jacques Anquetil n'avait pas encore gagné, c'est que 1957 était toujours à venir. Donc j'avais huit ou neuf ans.

Après ses déboires dans la petite industrie des jouets, mon père s'était reconverti dans les « plannings aimantés ». Je ne comprendrais que bien plus tard l'activité qui se cachait derrière ces mots mystérieux. Je suivais de loin ses affrontements avec son principal actionnaire, un Néerlandais malheureusement francophone. On ne le voyait jamais. On savait seulement qu'il n'avait rien, mais rien du tout d'un « gaulliste de gauche ».

Mon père nous rapportait, scandalisé, ses propos :

– J'admire votre général de Gaulle, mon cher Arnoult. C'est beau, c'est généreux, sa « répartition ». Mais avant de répartir, il faut produire. Montrez-moi vos résultats. Dès qu'ils doublent, je vous permets de répartir. Un peu. Qui a mis l'agent au départ, hein, mon cher Arnoult ? Vos employés ou moi, le Hollandais ?

Décidément, mon père n'avait pas le don des affaires. C'est l'autre malédiction familiale. Son frère Michel, architecte de talent, avait choisi le Brésil, croyant pouvoir s'y déployer. De l'autre côté de la mer, il n'accumulerait que des succès d'estime.

Pour se consoler, mon père se réfugiait dans la compétition automobile. Rallye, courses de côte, endurance, il enchaînait. Et chaque dimanche matin ou presque, il partait s'entraîner sur l'autodrome de Montlhéry.

Il proposait toujours de nous emmener, mon frère et moi. Ma mère ne voulait rien savoir. « Toi, je ne peux pas t'empêcher mais eux, je ne les ai pas mis au monde pour qu'ils meurent si bêtement. »

Un jour de 1955 ou 1956, elle finit par céder :

– Je veux bien, mais seulement Éric. Thierry est trop petit. Mais d'abord, jurez.

– Jurer quoi ?

– Que toi, l'adulte ou supposé tel, tu ne feras pas monter ton fils dans un de tes bolides ridicules.

– Je le jure, dit mon père.

– Et toi, Éric, jure que même si cet irresponsable te le propose, tu refuseras !

– Je le jure.

– Ce n'est pas assez. Jurez sur ce que vous avez de plus cher.

– Je le jure sur mes fils, dit mon père.

Moi, bien sûr, déjà doué pour la diplomatie, j'ai juré sur ma mère.

Comme prévu, sitôt garée notre voiture de ville (une *Frégate*) et sitôt parvenus dans le stand de l'écurie où tous les mécanos « préparateurs » me souhaitèrent joyeusement la bienvenue, mon père me posa la main sur l'épaule.

– Éric, dis-moi franchement, aurais-tu peur ?

– Peur de quoi ?

– De venir avec moi tourner sur l'anneau.

Sans répondre et violant mon serment, je sautai dans la *D.B.* Sous les applaudissements des fameux « préparateurs » :

– Ce petit ira loin.

– En tout cas, il ira vite.

On me tendit un casque. Dans lequel ma tête de huit ou neuf ans disparut. Si bien que, de la suite, je n'ai rien vu. Je me souviens du vacarme du moteur déchaîné. Je me souviens de l'odeur d'huile et d'essence trafiquée (sans doute par les « préparateurs »). Je me souviens de mon corps retenu par les sangles, autrement je me serais envolé par-dessus l'anneau bien au-delà de Montlhéry. Je me souviens de la voix de mon père annonçant les vitesses : cent vingt, cent trente, toujours pas peur, mon fils ? Alors cent quarante. Bon, cent cinquante ! Ça suffit pour une première fois.

La vitesse a diminué. J'avais envie de rire et de vomir. En même temps. Je me suis dit que la compétition automobile n'était pas forcément bonne pour la santé. J'ai senti que la voiture, l'horrible bolide, s'arrêtait. J'ai entendu des applaudissements. Quelqu'un m'a dénoué mes sangles, quelqu'un m'a retiré mon casque.

J'ai recommencé à voir.

Mon père me souriait.

– Je suis fier de toi.

Et c'est ce soir-là que j'ai menti pour la première fois.

– Tout s'est bien passé ? a demandé ma mère.

– Excellente mise au point, a dit mon père. Encore une petite semaine et la voiture sera prête pour le Monte.

– Le quoi ?

– Le rallye de Monte-Carlo.

– Et toi, Éric, tu ne t'es pas trop ennuyé ?

– Moi ? Jamais autant amusé ! On m'avait confié le chronomètre. Et comme maintenant je sais compter...

Ma mère m'a regardé, ses yeux bleus droit dans les miens.

– Donc pas de vitesse ? Tu n'es pas monté dans la voiture de ton fou de père ?

– Enfin, maman, j'avais juré.

Au délice alors ressenti de jouer avec la vérité, à cette soudaine et vertigineuse impression de liberté, j'ai deviné que désormais je ferais tout pour les éprouver à nouveau. Plus tard, allongé dans mon lit, ma lampe éteinte, je me souviens de m'être dit : quand tu mens, des ailes te poussent. Plus rien ne t'emprisonne.

Et je me suis endormi oiseau.

Ainsi naissent les vocations de romancier.

Toutes les sources convergent : mon grand-père Jean n'aimait pas travailler. À cette activité jugée par lui morne et répétitive, il aura toujours préféré la lecture. Il lisait tout le temps, le jour, la nuit, en marchant dans la rue, à peine assis dans un taxi, debout dans le métro, durant les heures de travail, et même, à la fureur de sa femme, pendant les repas de famille, un livre ouvert sur ses genoux : « Quand tes cousins diront moins de banalités, je te jure, je laisse Balzac (ou Dickens ou Camus). » Mais son endroit favori restait le cabinet. Nulle part ailleurs, selon lui, on ne trouvait ce cocktail idéal pour le lecteur : la tranquillité, la concentration, le relâchement. Le « cabinet ». Qui se souvient de ce mot ? On l'employait dans le temps pour dire « toilettes ». Pour que mon grand-père accepte d'y laisser la place, il fallait négocier longtemps, jurer qu'on lui rendrait vite son trône puis, au fur et à mesure que l'urgence devenait pressante, frapper de plus en plus violemment à la porte et menacer. De jeter par la fenêtre ses œuvres complètes de Joyce. D'appeler les pompiers, tu nous fais un malaise ou quoi ?

Souvent le lecteur ne répondait pas. Le chapitre en cours devait l'avoir trop absorbé. Il ne nous restait plus d'autre solution que d'aller sonner à l'étage du dessous, chez une voisine compréhensive car feu son mari avait été vendeur principal chez Adrienne Monnier, la célèbre libraire, 7, rue de l'Odéon.

Elle nous accueillait avec un sourire :

– Toujours enfermé ?

– Toujours !

– Il vaut mieux ça que d'autres vices. Pas besoin de vous montrer le chemin, n'est-ce pas ? Mais tirez la chasse d'eau deux fois plutôt qu'une. Il faut que j'appelle le plombier.

*
* *

– Dis, mamie, pourquoi grand-père est si gros ?

– Je ne sais pas.

– Tu crois qu'il lit trop de livres ? Tu crois qu'il a trop d'histoires en lui ?

– C'est peut-être ça.

– Mais notre professeur nous a dit que lire nous agrandit.

– Oui, mais ton grand-père a beau être ton grand-père, il ne grandit plus. D'ailleurs, tu as vu comme il est petit.

– Et alors ?

– Alors les histoires en lui s'accumulent dans le sens de la largeur.

– Mamie, tu te moques de moi ?

– Peut-être bien.

– Et toi, pourquoi tu ne lis pas ?

– Pas besoin.

– Parce que tu as déjà des histoires en toi ?

– Peut-être bien.

– Alors ce doit être des histoires vraies.

– Peut-être bien.

– Pourquoi tu ne me les racontes pas ?

– Parce qu'elles ne sont pas pour les enfants.

– Oh, oh, des histoires d'amour !

– À toi de deviner. Rien n'est meilleur pour le cerveau que deviner.

*
* *

Dédaigné par mon grand-père le « paresseux », l'argent s'était vengé. C'est ainsi que j'ai appris très vite le sens de la belle et mystérieuse expression : tirer le diable par la queue. Lorsque vint l'heure de la retraite et de ses revenus dérisoires, il fallut prendre des mesures. Ma grand-mère savait qu'il était inutile d'attendre quoi que ce soit d'un mari ravi de pouvoir désormais lire tout son saoul sans être dérangé. Née à Lyon, cuisinière prodigieuse, elle aurait pu louer n'importe où ses talents. Une autre possibilité s'offrait : avec sa sœur Marguerite, elle avait hérité de la propriété de Bréhat. Même si les prix dans l'île n'avaient pas alors atteint les sommets tropéziens d'aujourd'hui, il lui aurait suffi de vendre l'une des sept maisons, ou l'un des sept hectares. Mais pas question.

– J'ai reçu le Paradis, je transmettrai le Paradis. Vous imaginez Dieu un jour gêné aux entournures se défaisant d'une partie du Ciel au profit d'un promoteur ?

– Mais tu n'es pas Dieu, mamie.

– Nous sommes des enfants de Dieu. Donc une part de Lui.

Elle décida de tricoter, pour les vendre, des chandails, des écharpes et des sacs.

– Pourquoi pas la cuisine ? Tu aurais gagné plus.

– Je voulais rester disponible pour ton grand-père.

Ils passèrent ainsi, face à face, huit années que je crois heureuses, elle agitant ses aiguilles et lui tournant ses pages.

– Et vous vous racontiez vos histoires, celles qui ne sont pas pour les enfants ?

– Oh, nos histoires... Depuis le temps, tu penses, nous les connaissions par cœur. Nous nous étions tout avoué.

– On peut toujours revenir sur les détails. Dieu est dans les détails.

– Chez nous, c'était plutôt le diable.

– Eh bien dis donc ! Quels grands-parents j'ai ! Je ne suis toujours pas assez grand pour que tu me racontes ?

– Encore un peu de patience, Éric. Je te promets que tu sauras.

– Mais tu vas bientôt mourir.

– Tant qu'on a des secrets, on reste en vie.

Lorsque mon grand-père mourut, ma grand-mère ne se consola pas.

Sur le petit tourne-disque que nous lui avions offert, elle jouait et rejouait la chanson de Gilbert Bécaud : *Qu'elle est lourde à porter l'absence de l'ami...*

*
* *

Un jour mon grand-père leva le nez de son *Miroir-Sprint*. On retrouvera facilement l'année car je me souviens de la couverture.

> Jacques Anquetil : Pari Fou Gagné !
> formidable vainqueur de Bordeaux-Paris,
> le lendemain du Dauphiné libéré !

– Éric, j'ai à te parler.

Il me montra ma grand-mère.

– Tu es comme elle.

– Pardon, mais je ne vois pas bien la ressemblance.

Il hocha la tête.

– Un jour, tu deviendras écrivain.

– Peut-être. Et alors ?

– Moi, je t'aurai transmis la passion de la lecture. Ce n'est pas rien : tous les écrivains lisent. Mais ta grand-mère t'a donné davantage.

Nous chuchotions pour ne pas la déranger dans ses calculs de tricoteuse. Augmentations, diminutions, nul ne s'y retrouve dans les mailles s'il n'est mathématicien.

Il regardait sa femme. Dans son ironie perpétuelle ses seuls éclairs de tendresse étaient pour elle.

Ses gros yeux de myope revinrent sur moi :

– Je t'observe depuis ta naissance. Tu es un écrivain. Alors prends exemple sur ta grand-mère. Admire son obstination, tâche d'imiter sa précision. Un jour, tu te rendras compte qu'écrire et tricoter c'est pareil. Et tu sais pourquoi ?

La perspective de gagner ma vie en racontant des histoires me plaisait. Juste après le football. Donc écrire, pourquoi pas ? Mais quel rapport avec les chandails et les écharpes ?

Jamais je n'avais vu mon grand-père si grave.

– Réfléchis un peu ! Les rangs et les lignes, tu ne trouves pas qu'ils se ressemblent ? Peu à peu le motif apparaît.

– Vu comme ça, tu as raison.

– Et surtout...

Il s'arrêta. Je savais que ce moment était solennel. J'ai tout de suite deviné qu'il allait me confier l'une de ses rares convictions. Je venais d'avoir quinze ans. Je me suis dit que je devais graver dans ma mémoire ce moment historique. Alors je notai tout : la lumière jaune de cette fin d'après-midi, le grincement cadencé de l'horloge à balancier, le voyant vert de la radio, la sirène d'une ambulance qui passait dans la rue, l'odeur qui venait de la cuisine : ce soir, pour fêter le printemps, nous mangerions du navarin d'agneau.

– Éric, tu m'écoutes ?

– Je n'ai jamais si bien écouté de ma vie.

– Écrire et tricoter ont la même utilité : donner de la chaleur aux gens. Le jour où tu verras ton premier livre en devanture d'une librairie, n'oublie pas de remercier ta grand-mère.

– Mais si elle n'est plus là ?

– Remercie-la quand même ! Les morts ont plus besoin de gratitude que les vivants.

*
* *

49

Pendant ce temps, mon petit frère progressait dans l'art de la guitare classique. Autant ses débuts avaient manqué de me rendre fou – on peut tuer à force d'entendre, de l'autre côté d'une trop mince cloison, l'exaspérante ritournelle des *Jeux interdits* mille et mille fois répétée –, autant m'enchantait et me guérissait de tout la véritable musique qui sortait maintenant de ses doigts. Je m'émerveillais de les voir danser sur les cordes, si précis, si légers. Eux aussi avaient dû prendre exemple sur ma grand-mère. Nous nous disions, mais en nous jurant bien de ne pas l'ébruiter, que jouer du Bach est une sorte de tricot, et notamment la chaconne transcrite du violon *BWV 1004*. Je regardais mon frère :

– Un jour, Thierry, tu égaleras Andrés Segovia.

– Tu es fou.

– Continue ! Je t'assure, tu t'en approches.

Et chaque dimanche après-midi, nous nous retrouvions devant le vieux poste de radio, celui que ma mère appelait le « nid à poussière ». Pour rien au monde nous n'aurions manqué la voix douce de Robert Jean Vidal nous donner des nouvelles du Concours International qu'il organisait depuis des années et des années.

– Un jour, Thierry, tu le remporteras.

– Mon frère est fou.

Nous voulions croire que ce Concours International durerait toute la vie. En cas de malheur nous pourrions toujours nous réfugier devant le nid à poussière, blottis l'un contre l'autre, chaque dimanche après-midi.

Ma mère n'était pas en reste. Elle aussi prenait soin de mon avenir. M'allaiter ne l'avait guère intéressée. Elle préféra, de loin, me raconter des histoires.

Serré contre elle, j'ai entendu tous les contes possibles : Perrault, Grimm, Andersen. Et toute l'histoire de France. Il était une fois Berthe au grand pied. Il était une fois Louis XI et son ennemi le cardinal Jean de La Balue enfermé dans une cage. Il était une fois Louis XVI, le roi serrurier... ainsi que des aventures imaginées par elle où il était toujours question d'une princesse prisonnière dans un château et très malheureuse mais finalement délivrée par un faux roturier, en réalité fils d'un roi lointain.

Chaque 8 janvier, depuis 1960, l'appartement parisien de mes grands-parents s'égayait de drapeaux bleu, blanc, rouge. À gauche un triangle rouge pointé vers la droite et percé en son milieu d'une étoile blanche. Pour le reste, un fond blanc barré de bandes bleues horizontales. Bref, l'emblème de Cuba.

Depuis longtemps, mon grand-père m'en avait appris le sens :

– Puisque ta famille vient de la Grande Île Caraïbe, tu dois savoir que les bandes bleues rappellent les trois anciennes provinces. La blancheur du fond symbolise la pureté de notre idéal d'indépendance. Le triangle est celui de la liberté, de l'égalité et de la fraternité. Sa couleur rouge est celle du sang versé dans notre guerre pour nous libérer des Espagnols. Et l'étoile, la *estrella solitaria*, éclaire notre chemin. Tu trouveras la même dans le drapeau du Texas. Tu te souviendras ?

– Bien sûr, grand-père ! Mais on n'aurait pas pu faire plus simple ?

– Quand tu te rendras sur notre île, et le plus tôt serait le mieux, tu verras comme elle est diverse. C'est une arche de Noé, l'arche de toutes les races de la Terre. Heureusement que la Musique existe pour les rassembler. La Musique et la Révolution.

– Parfait, mais pourquoi choisir le 8 janvier dans la très riche Histoire de notre Grande Île familiale ?

– Parce que ce jour-là de 1959, Fidel Castro entra dans La Havane où Ernesto Guevara l'avait précédé. Le terrible dictateur Batista venait de fuir. Vive la Liberté ! Vive la Révolution ! Nous allons créer le Paradis sur Terre ! Une ère nouvelle commence pour l'Humanité !

Étrange, cette passion castriste chez un grand-père par ailleurs foncièrement conservateur !

Sans doute un besoin de légende.

Toujours est-il qu'au lieu de tirer les rois à l'Épiphanie, chaque début janvier nous célébrions la glorieuse insurrection populaire. Castro et Guevara étaient nos Rois Mages.

Ce 8 janvier-là (1963) nous approchions de la fin du repas typiquement cubain : salade de l'évêque (queues de langoustine, mangue, papaye, avocat, oignon, cumin), poulet ivre (citron, ail, xérès, rhum, poivre blanc...), *boliche* (bœuf cocotte, gîte, jambon fumé, jus d'orange et jus de citron). Ma grand-mère s'en était allée dans la cuisine chercher le dessert lui aussi cubain (oranges farcies) lorsque mon grand-père se tourna vers ma mère et lui demanda ce qu'elle me racontait.

Sans méfiance, elle répondit.

— N'as-tu pas honte de farcir la tête de ton fils avec ces bêtises ?

Ma mère n'était pas du genre à se laisser faire :

— Grimm, Andersen ! Des bêtises ? Moi, je donnerai à mon fils le sens du merveilleux.

— Pauvre enfant ! Partir dans la vie avec cette croyance qu'il suffit de tuer deux, trois dragons pour se faire épouser par une princesse.

– Éric décrochera bien mieux qu'une princesse.

– Et qui donc ?

– Une femme qui l'aime et qui lui donnera de
beaux enfants.

Mon grand-père ricana, jusqu'à l'arrivée de
la bûche glacée et même après, pendant toute la
découverte des cadeaux sous le sapin. Il faut dire
que depuis quelques semaines, il ne jurait plus
que par un livre dont le titre me fascinait : *Les
Gommes*. Comment peut-on écrire trois cents
pages sur des gommes ? Un livre qui, d'après
lui, allait « dynamiter le roman traditionnel ». Il
employait les mots mêmes de mon professeur
de Lettres, le passionné du Nouveau Roman.
Pourquoi une telle violence ? Que leur avait-il
donc fait, le roman traditionnel ?

J'aurais tant voulu interroger mon grand-père.
Pourquoi ce projet de dynamitage ? Était-il lié à
l'ambition de Fidel Castro : créer à Cuba, notre
Cuba, le paradis sur Terre ? Une fois le paradis
installé, n'y aurait-il plus besoin d'*il était une
fois* puisque seraient comblés tous les souhaits
des citoyens ? Ne pouvait-on imaginer une
coexistence entre littérature ET révolution ?
Comme on voit, rien que des questions naïves
d'un adolescent assez perdu.

Hélas je n'ai pas eu le temps. Un bon petit
cancer des intestins a emporté peu après l'ami

des *Gommes*. Sans doute une vengeance du roman traditionnel.

Même si la controverse m'était passée largement au-dessus de la tête, je venais d'être plongé dans le grand bain littéraire.

Bref, tout le monde a mis la main à la pâte pour que je devienne écrivain. J'avais tant reçu de mots, de scènes, d'intrigues et de rebondissements. Il faudrait bien qu'un jour je prenne le relais.

Et mon père aurait beau jeu d'accabler une fois de plus notre famille : dans un tel environnement, si profondément, si maladivement, si cubainement dopé à la fiction, dans cet univers mouvant où toutes les vérités sont possibles et se contredisent, comment voulais-tu que toi et moi réussissions à bâtir un amour stable et unique ?

Mes parents auront tout fait pour « sauver leur couple ». Dans la liste, touchante, de leurs tentatives, je retiens plusieurs voyages en Sicile (j'ai cru comprendre que la double présence mafieuse et volcanique ravivait leur vie sexuelle), leur installation à la campagne, dans la vallée de la Bièvre (« Décidément, la ville ne nous valait rien »), et le choix par mon père d'un autre sport (« Avec l'aviron, tu ne pourras plus dire que je prends des risques imbéciles »).

C'est ainsi que, pour lui faire plaisir, j'étais devenu incollable sur les bateaux. Encore aujourd'hui je me souviens qu'une pelle n'est pas seulement un baiser avec la langue mais un aviron, qu'un « pair-oar » est un deux de pointe sans barreur (une seule pelle par rameur), et qu'un « huit » ne mesure pas moins de dix-huit mètres.

Mais ce que mon père préférait en moi, c'était ma connaissance du parc de Versailles. Un parc où je me promenais tout le temps depuis que nous habitions non loin.

Il n'aimait rien tant que m'écouter lui raconter encore et encore l'histoire des Bosquets, l'histoire des fontaines, l'histoire de Latone mère d'Apollon.

Et quand il m'invitait à déjeuner ou à dîner avec des amis à lui, soudain il se tournait vers moi :

– Éric, accepterais-tu de nous expliquer la machine de Marly ? Vous savez ce que dit mon fils ? Versailles est un livre. Un livre de mille hectares. Et, comme pour tous les livres, il faut apprendre à lire. Éric, pourrais-tu nous rafraîchir la mémoire ? Qui a dessiné l'Orangerie, déjà ? Et l'escalier des Cent Marches ?

Alors, pour contenter mon père, je m'exécutais. Je me rappelais mon petit frère Thierry, quand on allait le chercher dans sa chambre pour jouer de la guitare. Vous vous rendez compte, il n'a pas dix ans, voyez comme ses doigts courent sur les cordes, vous pensez qu'il peut devenir virtuose ?

Il était une fois LA FLOTTILLE ROYALE.

Nous voici au printemps 1667. Depuis six ans, Louis XIV règne sans partage sur une France qui se remet lentement de ses déchirures (guerres de Religion, révoltes des nobles…)

Pour affirmer son pouvoir et raconter son lien avec le ciel, il se fait construire un grand château : un Roi-Soleil ne peut loger n'importe où.

Hélas, vers l'ouest s'étend un marais, traversé par un ruisseau chétif, le Galie.

Ce paysage n'est pas digne du projet.

Que faire ? Planter une pelouse ?

Banal.

Au lieu d'assécher, le jardinier Le Nôtre propose de creuser. Ainsi naît le Grand Canal, vingt-trois hectares d'eau. Pour élargir le regard, pour refléter les nuages, pour accueillir les derniers rayons du couchant.

Vingt-trois hectares, résumé de la mer. On peut y naviguer. De partout, on envoie des cadeaux au roi tout-puissant.

C'est une gondole, présent du Doge.

C'est une frégate en réduction, construite par l'arsenal de Rochefort. On l'a nommée *Le Modèle* car elle a servi d'exemple à des générations de charpentiers.

C'est une galère de trente-cinq mètres, deux mâts (arbre de Mestre et arbre de Trinquet), cinquante-deux rameurs.

Ce sont le *Heu* et le *Yack*, deux navires marchands, le premier d'origine hollandaise, le second anglaise.

59

N'oublions pas une felouque napolitaine, et d'innombrables chaloupes pour promener la Cour.

La « *Flottille Royale* ».

Une foule s'en occupe, des matelots, des charpentiers, des voiliers, des calfateurs, un scieur de long.

Pour les loger, des bâtiments sont construits.

On baptisera l'ensemble « *Petite Venise* ».

Aujourd'hui disparue.

Telle fut l'histoire favorite de mon père jusqu'à la fin de sa vie, mon plus grand succès auprès de ses amis :

– Vous vous rendez compte ? Le Cercle nautique que j'ai l'honneur de présider a été bâti à l'emplacement même de cette...

À cet instant, il marquait toujours une pause. Pour ranimer l'attention de ses auditeurs. Aussi pour mieux préparer sa bouche à savourer les deux mots qu'il allait maintenant prononcer.

– ... Petite Venise. Éric, aujourd'hui qu'à Rochefort toi et tes amis, Jean-Louis, Jean-François et Bénédict, reconstruisez l'*Hermione*, la réplique du bateau de La Fayette, tu ne pourrais pas nous détailler la frégate *Le Modèle* ?

*
* *

À deux pas du site de l'ancienne Petite Venise, La Flottille est aujourd'hui le nom d'une espèce de guinguette 1900, mi-meulière, mi-véranda. Durant trente-quatre ans, chaque premier dimanche du mois, à midi trente, quoi qu'il arrive, je me suis planté devant mon père déjà plongé dans la carte qu'il connaissait par cœur.

Et chaque premier dimanche de chaque mois, mon père joua l'étonné :

– Tu passais par là ?

Déjà monsieur Georges, le chef de rang, s'avançait.

– Comme d'habitude ?

– Comme d'habitude. Mais s'il vous plaît, Georges, spécifiez en cuisine, les frites : bien chaudes !

La Flottille accueille une majorité de touristes. Pour ceux-là, visiteurs occasionnels, attablés d'un seul repas, nous n'étions rien que deux hommes, séparés par une vingtaine d'années mais réunis par une certaine ressemblance. Les regards de tous ces étrangers, en majorité japonais, américains, chinois et allemands, je ne parle que des principaux, passaient sur nous sans s'attarder.

Au contraire, pour les habitués, nous étions un sujet d'énigme et de supputations sans fin. On voyait bien les coups d'œil. Ils nous lâchaient pour juste après revenir. Monsieur Georges nous rapportait fidèlement la curiosité dont nous étions l'objet. C'est beau, un père et un fils ! On ne peut pas se tromper. Mon Dieu, comme ils se ressemblent ! Même si le fils est loin d'avoir la beauté du père. Pour lui, ce ne doit pas être facile tous les jours. De quoi peuvent-ils se parler, ces deux-là, avec tant d'animation et tant d'émotion ?

Et monsieur Georges, chaque fois, de conclure, ravi :

– En tout cas, vous intriguez !

*
* *

– Mon fils, puis-je te considérer comme un adulte ?

– Tu n'as que trop tardé.

– C'est que... l'histoire que je vais te raconter est aussi gênante pour ta mère que pour moi.

– Double raison d'être impatient !

– Je ne sais pas si je fais bien de te révéler tout ça. Sais-tu qu'en plaçant le soir un aimant sous l'oreiller de sa femme, elle t'avoue, le matin, ses infidélités ?

– Tu as essayé ?

– Bien sûr !

– Avec ma mère ?

– Qui veux-tu d'autre ?

– Et alors ?

– Alors Cyrille, le médecin alsacien, comme je m'en doutais.

– Voilà pourquoi elle nous emmenait si souvent, mon frère et moi, passer nos vacances de Pâques à Mœrnach !

– Voilà pourquoi ! Puisque nous y sommes, je vais te raconter ce matin-là, le matin d'après l'aimant. Tu penses si je me souviens de la date, 5 avril 1962, l'Algérie venait d'obtenir l'indépendance.

– Quel rapport ?

– Si tu préfères on venait de te souhaiter tes quinze ans, jolie fête, famille unie.

Cette nuit-là fut des plus agitées. Imagine, dit mon père, imagine le secret honteux tentant de résister à cette force inconnue qui veut l'arracher de cette partie du corps de ta mère où il avait cru pouvoir trouver refuge, la tête, le cœur, le ventre. Comme tu t'en doutes, je suivais avidement ces remuements : ça y est, l'aimant agit, ce n'est pas l'École Centrale qui l'aurait prévu ! Je me sentais écartelé entre la jouissance et la torture d'avoir raison dans mes soupçons.

L'heure sonne du petit déjeuner conjugal. Rien de bien spécial sinon du muesli aux myrtilles. Les enfants viennent de s'en aller pour l'école. Alors ? demande mon père à ma mère. Mon Dieu qu'elle est jeune, vingt-neuf ans, et belle ce matin-là. Sa tête blonde sort d'un peignoir blanc nid-d'abeilles. Pour l'instant, elle fixe son thé, les deux mains bien à plat sur la table vide. Mon père la regarde.

– Tu n'as pas faim ?

Elle ne répond pas à cette question-là. Mon père sait qu'elle va parler. Il se dit que jamais, jamais il n'aurait dû placer l'aimant sous l'oreiller. Il donnerait n'importe quoi pour que dure le silence. Il sait que bientôt, dans cette cuisine si paisible, il sait que des mots vont être prononcés. Il ne sait pas lesquels mais il en sent déjà les effets meurtriers.

Il se lève.

– Tu as vu l'heure ? Que faisons-nous encore là ?

Il tente la légèreté.

– Quel bon moment ! Je me croyais en vacances. Pas toi ?

Celle qu'il vient d'appeler « toi » se tait, elle fixe toujours son thé.

Pourquoi, mais pourquoi ces imbéciles de Centraliens n'ont-ils pas encore inventé un aimant capable d'obliger le temps à revenir en arrière ? Pourquoi, mais pourquoi ai-je tant voulu apprendre le secret de ma femme ?

En passant derrière elle, mon père l'embrasse, baiser rapide sur les cheveux blonds.

– Rassieds-toi, dit-elle.

– Mais je suis déjà en retard.

– Rassieds-toi.

Quand cette voix-là lui vient, tout le monde obtempère, les enfants comme le mari. C'est de l'acier, cette voix, venu d'on ne sait où, son corps est si menu.

Mon père a repris sa place. Il ne s'est même pas octroyé le droit de marmonner des protestations du genre – d'accord, mais fais vite. Non, il est revenu sur sa chaise en silence. Ce silence qui va bientôt être rompu ou déchiré. Rupture ou déchirure, que peut-il arriver de pire à un silence ? Mais qu'est-ce qui m'a pris ? Maudit aimant. Il est temps pour ma mère d'abandonner son thé. Maintenant, elle regarde mon père. Deux yeux bleus qui vont le tuer. Il paraît que son père à elle, mon grand-père mort trois jours avant ma naissance, avait ce même bleu dans les yeux. La plupart du temps un bleu de soleil qui soudain virait au noir. Rien d'original, à bien y penser. On constate dans le ciel de semblables variations de couleurs. On dit, dans la famille, que ce grand-père devait à ce bleu changeant une grande part de son autorité de « capitaine d'industrie », selon l'expression de l'époque. Séduire et tuer. D'un même regard. La bonne méthode.

– Il vaut mieux que tu saches.

À ce moment-là, mon père réagit. Ce n'est pas une lavette. D'accord, en 1945 il s'est engagé juste après l'armistice mais que pouvait-il contre Hiroshima, contre Nagasaki ?

Il ne crie pas, il réussit même à ne pas hausser le ton.

– S'il te plaît, arrête cette comédie. Qu'est-ce que c'est que cette histoire ?

– Justement, une histoire. Une histoire vraie.

*

* *

La jeune femme qui vient, fièrement, de prononcer les deux mots, « histoire vraie », est une jalouse, je l'ai su plus tard. Elle se levait la nuit, elle enfilait une robe de chambre et descendait dans le parking de l'immeuble. Elle ouvrait la voiture de mon père pour y mener son enquête. J'en étais sûre. Encore du parfum ! Mais ce n'est pas le même que la dernière fois. À tout prendre, je préfère. Voyons voir le vide-cigarettes. De quelle putain sont ces mégots ? Comment peut-il se faire lécher par un rouge à lèvres si vulgaire ?

Elle remontait lire Alexandre Dumas pour se calmer, avec une préférence pour *Le Collier de la reine*. La découverte des misères faites à Marie-Antoinette l'aidait à supporter son propre sort.

Tout le monde se moquait des préférences politiques de ma mère : monarchiste ! Comment peut-on, aujourd'hui, être monarchiste ?

C'est mon frère qui m'a expliqué, comme d'habitude.

– Notre mère était fille unique.

– Et alors ?

– Elle fut très vite orpheline.

– Et alors ?

– Elle avait besoin de royaumes. D'autant que notre père n'arrêtait pas de lui rappeler comme sa famille à lui était nombreuse et forte et unie. Notre mère n'a pas eu la vie facile.

– Je sais.

– Je ne sais pas si tu sais.

Au matin, c'est là, sur le canapé du salon, que mon père retrouvait notre mère endormie.

– Que vont penser les enfants s'ils te surprennent ?

– Ils vont penser que leur mère aime la lecture.

– Que vont-ils comprendre ? Tu les obliges à éteindre à neuf heures.

– Je sais bien qu'Éric continue avec sa lampe de poche.

*
* *

– Ça dure depuis combien de temps ?

– Ça dure, comme tu dis, depuis toujours…
Elle appuie sur le « ça »…

– … « Ça » dure depuis son premier regard, tu étais en Amérique. Et « ça » n'a pas commencé puisque c'est plutôt ce genre de détail que tu veux savoir. Mais « ça » viendra, à son heure. « Ça » viendra, n'aie pas peur.

Puis toute blonde, toute belle, toute jeune dans son peignoir blanc nid-d'abeilles, ma mère sourit. Je suis sûr que ma mère a souri et que ce sourire était carnassier car ma mère est une revancharde et mon père lui avait donné tant et tant d'occasions d'être jalouse.

J'ai rassemblé beaucoup de photos de mon père. Certains jours, je les sors de leur boîte à chaussures et je regarde comme le temps est passé sur lui.

1957, la date présumée de l'affaire de l'aimant, bien avant qu'il ne m'en parle.

C'est la période de sa vie où il fut le moins beau. Clark Gable s'est empâté, le commerce oblige à manger. Manger tout le temps, avec les clients, avec les futurs clients, avec les satisfaits, avec les mécontents et avec les secrétaires de ce petit monde, mais dans ce cas-là, on ne traîne pas à table.

Et je suis sûr que ma mère avait choisi cette période-là, de moindre beauté, pour lui asséner son coup.

En 1954, quand il était si craquant au volant de sa *D.B.* ou plus tard, dès 1962, quand il venait de reprendre l'aviron, jamais ma mère n'aurait eu la force de frapper un mari si beau.

Revenons à la cuisine familiale où le silence a pris toute la place. Peut-être que le silence lui aussi ronge son frein ? Le battement de l'horloge publicitaire *Martini* lui tape sur les nerfs. Les parents la détestent, vulgaire répète ma mère, les enfants l'adorent, les enfants ont gagné. Les parents n'ont pas osé jeter l'horloge *Martini*. Sur sa chaise aux lanières de plastique jaune, mon père regarde le sourire de ma mère. Il y découvre une force, une détermination qu'il n'avait jamais envisagées.

Mon père se lève.

— Bon, on reparlera de tout ça ce soir.

— Pas question. Ce soir, il y aura les enfants. Si tu veux parler, c'est tout de suite.

— On m'attend.

— On t'attend toujours. Surtout quand tu es là. Ça ne changera pas. Tu as quelque chose à me dire ?

Je devine que ma mère aime ce moment. Elle n'a pas si souvent l'occasion de goûter ce plaisir rare qu'on appelle la maîtrise. Et cette revanche, si longtemps attendue, cette revanche de femme jalouse, il serait dommage de ne pas la savourer quelques minutes encore.

Peut-être mon père s'est-il rassis sur sa chaise jaune ? Peut-être a-t-il préféré demeurer debout ?

— Et maintenant ?

— Maintenant ? Mais on continue, bien sûr.

— Tu ne veux pas divorcer ?

— Il est marié, figure-toi. Et il a des enfants.

— Je vais réfléchir.

– C'est tout réfléchi. On continue. À cause des enfants.

– Grâce aux enfants.

– Je n'ai même plus cet espoir.

– Ça va être gai !

– À qui le dis-tu ? Je me suis mal exprimée : à qui la faute ?

Cette fois mon père doit vraiment partir. Il hésite. Il se décide.

– Bonne journée.

– Bonne journée, lui répond ma mère.

Son sourire s'en est allé.

La vie d'après commence, la vie d'après l'aimant sous l'oreiller.

Nous avons consacré tout un autre dimanche de La Flottille à ce thème délicat entre tous : l'amant de sa femme, ma mère.

Ce qui l'impressionnait le plus chez cet homme n'était pas qu'il se soit engagé dans la Légion, ni qu'à la Libération il soit devenu médecin grâce à des études accélérées, un cycle spécial réservé aux combattants.

Il remontait sans cesse à la génération précédente :

– Tu te rends compte ? Imprésario de Chaliapine.

– De qui parles-tu ?

– Du père de l'amant de ta mère. C'était l'imprésario de Chaliapine, la plus grande basse de tous les temps. Te rends-tu compte ? Comment pouvais-je lutter ?

– Papa, franchement, je ne sais pas.

– Tes femmes ont eu des amants ?

– Sans doute.

– Et tu ne t'es pas renseigné ?

– Je n'ai su le nom que d'un seul.

– Son nom ne m'intéresse pas. Quel était son métier ?

– Éditeur de disques.

– Tu admettras : rien à voir avec l'imprésario d'un chanteur immense.

– J'admets, papa.

– Toi, tu aurais pu lutter.

– Aucun de mes romans n'avait encore été accepté.

– Et alors ?

– Alors je n'étais rien. Personne n'a mieux compris que moi l'infidélité de sa femme. Comment préférer un mari qui n'est rien ? Je me disais : tu ne seras l'auteur que de romans refusés. Comment une femme acquiescerait à un homme partout refusé ?

– Elle t'a quand même dit « oui » devant le maire de Saint-Malo. Un oui franc et massif, d'après mes souvenirs…

– Elle avait sans doute l'esprit ailleurs. Un ailleurs où elle pouvait rencontrer n'importe qui. Par exemple un éditeur de musique.

– Et puis tu étais tout jeune.

– Merci, papa, mais j'ai toujours détesté les rentiers et ceux qui se cherchent des excuses.

– Tu as raison. Je suis fier de toi, mon fils. C'est comme la franc-maçonnerie.

– Quel rapport ?

– On m'a souvent proposé d'entrer dans une loge.

– Et alors.

– J'ai toujours refusé.

– Tu as donné la raison ?

– Hélas oui.

– Je peux l'entendre ?

– Je déteste les amitiés clefs en main.

– Tu as dû te faire beaucoup d'ennemis.

– Tu devines bien.

Après des échanges d'une telle densité, nous avions besoin de reprendre haleine. Un bon moment, nous nous sommes tus.

Par deux fois, Georges s'inquiéta.

– Tout va comme vous voulez ?

– Au mieux.

La conclusion n'arriva qu'au café, déguisée en demande de mon père :

– Éric ?

– Oui, papa.

– Tu me promets de t'aimer mieux ? Je ne dis pas tout de suite, bien sûr. Mais un jour ?

– J'essaierai, papa. J'essaierai.

Ce dimanche-là, mon père m'invita chez lui.

– Je sais que tu détestes Parly II. Mais pour une fois, fais un effort. Il s'agit de l'origine de nos amours.

– Tu as trouvé la raison de nos échecs ?

– En tout cas, je crois comprendre le mécanisme.

Tant bien que mal je trouvai mon chemin dans cet archipel de résidences toutes semblables.

Mon père attaqua d'emblée le vif du sujet.

– Sais-tu comment est mort l'acteur Brandon Lee ?

J'avouai mon ignorance. La nouvelle de ce décès ne pouvait trop me peiner. Jusqu'à cette seconde, je ne connaissais pas l'existence de ce personnage dont mon père semblait faire grand cas.

– C'est le fils de l'acteur Bruce Lee, le prince du kung-fu. Tu as sûrement vu l'un de ses films.

J'acquiesçai. Mais que venaient faire ces deux Asiatiques dans notre famille cubano-française ?

– J'y arrive. Brandon, le fils, est mort tragiquement au cours d'un tournage. Dans le scénario, il était prévu qu'il se suicide. Il saisit son revolver. Il restait une balle réelle.

Je présentai mes condoléances attristées.

– Éric, j'ai toujours détesté ton ironie. Écoute-moi bien : vingt ans plus tôt, presque jour pour jour, Bruce Lee est mort sur un tournage, et lui aussi tragiquement. Une hémorragie cérébrale l'emporta alors... qu'il devait jouer le rôle d'un policier tué accidentellement par un revolver qui aurait dû être chargé à blanc.

Cette fois, mon père m'avait cueilli. Il me regardait, sans triompher. Il me laissait le temps de prendre l'entière mesure des forces souterraines que je venais, grâce à lui, de découvrir.

– Des cas de ce genre, j'en ai rassemblé des dizaines.

Il se leva et me conduisit à la bibliothèque, celle-là même où veillaient mes amis Günter Grass, García Márquez, Marguerite Duras, Alejo Carpentier, Lezama Lima. Je ne manquai pas de les saluer au passage.

Un à un, avec une précaution de conservateur, mon père sortit des ouvrages que je ne connaissais pas.

Aïe, mes aïeux ! par le docteur Anne Ancelin Schützenberger, *La Bible et ses fantômes*, par Didier Dumas ; du même, *Et l'enfant créa le père*, celui-là va particulièrement te parler, mon Éric ; *Constellations familiales*, par Bert Hellinger et Gabriele ten Hövel... Tu les liras plus tard. Pour commencer, je t'en prête deux. Patrice Van Eersel et Catherine Maillard, *J'ai mal à mes ancêtres*, et Alexandro Jodorowsky, *La Danse de la réalité*. Ils te permettront de t'initier. Et d'un peu mieux comprendre notre malédiction. Mais attention ! Tu me les rends ! Ce sont mes trésors !

*
* *

Dans notre famille un peu disloquée et plutôt nomade nous avons nos lieux. Comme les grands animaux reviennent boire aux mêmes mares, nous nous retrouvons toujours aux mêmes endroits pour « faire le point ». Vous connaissez maintenant La Flottille, royaume de mon père. Avec ma sœur, c'est à Versailles, la brasserie *Le Limousin*, qui ravit les touristes par ses gigots présentés sur chariot et découpés à volonté.

Avec mon frère, nous avons élu le restaurant *Square Trousseau*, à deux pas du marché d'Aligre. Un peu trop de jeunesse branchée mais un quincy bien fruité et une goûteuse purée, façon grand-mère. C'est justement de ce thème que je voulais m'entretenir avec lui : le poids du passé, en d'autres termes techniques, dont ses collègues psychiatres ont le secret : le *trans-générationnel.*

Je ne pouvais trouver meilleur spécialiste. Sa thèse de médecine portait sur *Le Traumatisme de l'ensevelissement dans la Grande Guerre.* La nécessité lui en était venue lors de son stage d'internat à Péronne, au plein cœur des champs de bataille.

Je l'ai laissé finir son premier verre de rosé, mixture que, je ne sais pourquoi, il préfère à tous les vins véritables, moins trafiqués, plus francs du collier. Et j'ai commencé mon interrogatoire :

– Pourquoi l'ensevelissement peut-il être qualifié de « transgénérationnel » ?

Il m'a remercié de m'intéresser à ses travaux.

– Ce n'est pas si fréquent, tu sais.

Et, bien dans la manière narrative qui nous appartient, il a raconté.

« Au premier jeune patient de la région atteint de cette angoisse particulière, et quand je dis angoisse, c'est plutôt le terme "panique" qu'il faudrait employer, je ne me suis pas étonné. Au dixième, au vingtième, l'alerte a sonné en moi.

Soudain, au milieu de la nuit, ils se réveillent en hurlant : de la terre leur entre dans la bouche par le nez et leur colle aux yeux. Ce n'est qu'un cauchemar, bien sûr, pourtant ils suffoquent, ils appellent à l'aide. Mais qui peut entendre des mots englués dans de la boue ?

Ces jeunes avaient dix, quinze ans. Je n'ai pas tout de suite pensé à la Grande Guerre. Et puis l'image m'est revenue, la "tranchée des baïonnettes". À Verdun, on voit dépasser de l'herbe la pointe d'une dizaine de fusils. On dit que des soldats passaient par là. Un obus est tombé tout proche. Ils ont été ensevelis debout.

Eh bien tu vois, mon frère, cette hantise de l'ensevelissement continue, plus d'un siècle et trois, quatre générations après l'armistice. De même que les obus remontent du fond de la Terre. Chaque année, on en retire des champs par dizaines. »

Ainsi parla ce jour-là mon petit frère qui avait, comme moi, fini par prendre un peu d'âge.

Mon petit frère que j'aimais tant et si mal. Chaque fois que je le regardais, je ne pouvais m'empêcher d'éprouver de la honte.

Moi, depuis l'enfance, j'avais toujours réussi à me protéger par une carapace de bonne humeur.

Lui avait l'âme beaucoup plus honnête. Il ne riait que lorsque la situation s'y prêtait. Et il n'avait cessé de suivre mes enthousiasmes forcés et successifs avec toujours la même bienveillance.

Il s'est resservi du rosé.

– Mais pourquoi me demandes-tu soudain tout ça ? Maintenant tu te passionnes toi aussi pour la Grande Guerre ?

– Papa et moi, nous essayons de retrouver la raison de nos échecs amoureux.

– Je sais. Et vous me faites bien rire !

– Nous pensons que nous sommes victimes d'une malédiction familiale. Et nous nous demandons pourquoi tu y as échappé.

– Vous devriez prendre des cours de génétique. Il y a d'excellentes universités du troisième âge.

– Mais toi et moi nous avons le même patrimoine génétique...

– Tu apprendras que certains gènes sont activés. Et d'autres non. Pourquoi avez-vous eu besoin d'activer ce gène ? Telle est la question.

– C'est vrai que toi, tu aimes ta femme depuis toujours. Et depuis toujours, elle t'aime.

Il a souri.

– Je n'ai pas dû activer le fameux gène.

Quand quelque chose nous dérange et risque de nous fâcher, mon frère et moi changeons vite de sujet. Notre refuge favori, c'est le cyclisme. Quincy aidant pour moi et rosé pour lui, nous nous sommes rappelé la très fameuse vingtième étape du Tour de France 1964, la montée vers le puy de Dôme. Nous nous sommes séparés un peu titubants mais satisfaits de notre mémoire, la génétique pouvait nous avoir fait des siennes, nous n'avions toujours pas oublié le coude-à-coude légendaire entre Anquetil et Poulidor.

Les années passaient. Mon père et moi continuions de parler d'amour. Et mon frère continuait
de s'amuser fort de ces conversations dont rien
ne sortait de très efficace. Souvent s'amuser est
la seule manière intelligente de ne pas jalouser.

– Alors, vous avancez dans vos recherches ?
– Nous avançons.
– Et ce que vous découvrez vous aide ?
– Tu vois bien que non.

Il fallait bien avouer que les amours de mon
père et les miennes demeuraient ce qu'elles
avaient toujours et pareillement été : catastro-
phiques. Moi, l'idée folle m'était venue de tomber fou d'une femme mariée, la femme la plus
mariée de toutes les femmes mariées d'Europe.
À peine rencontrée cette beauté, j'avais divorcé
de la mère de mes enfants, que j'aimais et qui
m'aimait. Et j'avais attendu. Attendu chaque
minute, attendu un an. Attendu sept ans, attendu

stupidement, que la femme mariée à son tour se libère. Aujourd'hui je la comprends : on n'abandonne pas sur un coup de tête, même sur un long coup de tête, sa couronne de femme la plus mariée d'Europe. Quant à mon père, figurez-vous que, pendant toute cette période, il aimait le docteur Maman. Si cette gentille et chaleureuse personne n'avait pratiqué que sa spécialité, la radiologie, leur relation se serait confortablement déroulée dans le meilleur des mondes aisés possibles (à commenter les radios, on gagne largement de quoi offrir de jolis et fréquents cadeaux à l'homme que l'on aime). Hélas, la doctoresse avait succombé aux charmes de cette secte venue d'Inde et qu'on appelle yoga. Loin, très loin de moi l'idée de reprocher à cette femme toutes les contorsions qu'elle imposait à son corps. Mais pourquoi avoir voulu y contraindre mon père ? Sa conception de l'activité physique (sexe et aviron) était aux antipodes de ces raffinements asiatiques.

Résumons la situation, un peu complexe je l'avoue. Mon père était l'amant du docteur Maman tandis que son ex-femme (ma mère), entre deux escapades en Russie avec son amant, lui aussi docteur en médecine, habitait de l'autre côté de Versailles, 8, rue... Sainte-Famille. Je savais bien ce que pensait mon frère, même s'il se gardait d'en dire un mot.

– Au lieu de ces rendez-vous à La Flottille interminables et, vous le voyez, bien inutiles, vous feriez mieux tous les deux, infirmes de l'amour que vous êtes, de commencer une psychanalyse. Mieux vaut tard que jamais.

Je saisis l'occasion de ce récit pour révéler à mon frère que nous y avions songé. Mais pour mon père, la cure freudienne était une sorte de yoga mental. Pas question de replonger dans une autre secte.

Et moi, je ne me voyais pas me faire soigner sans mon père. J'en ai parlé au bon docteur Lembeye, celui qui a évité le suicide à tant d'hommes quittés par Isabelle. (Ne soyez pas impatients, ce personnage ne va pas tarder à entrer en scène dans toute sa majesté ; toute son imagination ; et toute sa cruauté.) Il m'a répondu que non. Bien sûr, existent des thérapies familiales. Mais, me dit le docteur Lembeye, je méprise ces traitements de masse. Moi, j'aide les *personnes*. La règle est claire et sans appel. Un thérapeute, un divan. Un psychanalyste digne de ce nom ne pratique pas les *simultanées* : il n'est pas un maître d'échecs.

Les ricanements de mon frère m'avaient éclairé. Mon père et moi piétinions. Et nous avancions en âge. Si nous voulions avoir une chance d'enfin réussir un amour, il fallait nous hâter.

C'est alors que la conviction m'est venue que Versailles ne nous valait rien. À Versailles, les saisons se succèdent mais le temps ne passe pas.

Les horloges se sont arrêtées depuis le XVIIe siècle. Bientôt le Roi-Soleil va se présenter. Il pousse dans une drôle de voiture à roulettes son ami, le jardinier Le Nôtre qui souffre des jambes et ne peut plus marcher.

Leur promenade est rituelle. Si l'œil crée la perspective, dit le jardinier, c'est la marche qui la fait vivre.

Le Roi-Soleil acquiesce.

Toutes proportions gardées, nous étions comme eux, mon père et moi.

À La Flottille, nous avions trouvé notre refuge dans l'œil de ce cyclone perpétuel que les humains appellent le Temps. Tout s'agitait autour. Nous, nous ressassions nos amours mortes.

*
* *

Les grands hôtels sont dociles. Ils se laissent acheter puis revendre par des groupes financiers. On les baptise, les débaptise, les rebaptise. Ils changent de nom avec tranquillité. Les groupes financiers passent. Les grands hôtels demeurent.

À l'époque où j'avais décidé d'y emmener mon père pour tenter d'échapper au piège de

Versailles, comment s'appelait cette tour qui domine la Porte Maillot ? Concorde ? Hyatt ? Marriott ?

Qu'importe.

Je l'avais choisie car elle s'élève au cœur des mouvements de la ville. Périphérique, avenue de la Grande-Armée, boulevards Pereire, Gouvion-Saint-Cyr, avenue des Ternes... Pour s'arracher au calme somnolent du Grand Canal, rien de tel, pensais-je, que le spectacle de toutes ces rivières de voitures.

C'est pour cela que j'avais donné rendez-vous à mon père au bar. Trente-cinquième étage. Je suivrai la suggestion de Patrick Modiano.

– Tu verras. Deux ou trois déjeuners là, même si c'est mauvais, et vous serez guéris de La Flottille où rien n'avance.

Mon père et moi, nous n'avons pas tenu plus d'une heure.

Quelques groupes d'hommes exceptés, la plupart étrangers, qui discutaient affaires, nous n'étions entourés que de couples manifestement illégitimes. Il y a des lueurs dans les yeux qui ne trompent pas. Les uns, les traits tirés, se refaisaient une santé devant une viande rouge. Les autres avalaient vite fait une salade avant d'aller finir dans une chambre la pause déjeuner accordée par leur entreprise.

Je suivais le manège d'une grande femme brune, vêtue, du moins pour la partie visible, d'un long trench-coat beige, plutôt incongru en cette mi-juin où les jours de plein soleil se succédaient sans la moindre alerte météo, comme j'avais pu le vérifier le matin même. Elle se tenait à l'entrée, ses yeux clairs allaient de droite à gauche sans trouver la personne qu'elle cherchait. Peut-être, d'ailleurs, ne la connaissait-elle pas ? Hypothèse bientôt confirmée. Un homme se leva, la cinquantaine plutôt replète mais le regard vif et perçant de qui sait se faire obéir. Il agita un *Figaro Magazine*. Ce devait être le signal. Car la brune au trench s'avança vers lui d'un pas décidé mais sans sourire. Pourquoi la certitude me vint tout de suite d'une rencontre Minitel ? On oublie aujourd'hui cet instrument médiéval mais il a enchanté bien des existences. Et c'était son début, à l'époque.

La femme a rejoint son fiancé Minitel, tout au fond gauche de la salle. Leurs deux fauteuils se faisaient face, à toucher la vitre par laquelle on pouvait distinguer jusqu'à la colline de Suresnes, malgré la légère brume de chaleur qui coiffait le bois de Boulogne.

– Que regardes-tu ? m'a demandé mon père.

– Une seconde, je crois reconnaître quelqu'un.

Sur un signe de l'homme, plutôt sur son ordre, la tête qui dit oui, fais-le, la femme a ouvert son imperméable. Du moins c'est ce que j'ai deviné aux mouvements de ses bras car je ne la voyais que de dos. À l'évidence, elle était nue. Et pour être franc c'est ainsi que le souvenir me la fait paraître, quinze ans plus tard. Sur Minitel, souvenez-vous, 3615 Ulla, certaines femmes, réservées par ailleurs, voire franchement timides, se lançaient ce genre de défi.

– On s'en va ? dit mon père.

– On s'en va.

Il avait raison. Ce type de lieu n'était pas indiqué pour qui veut apprendre le secret des amours durables. Mieux valait encore notre Flottille et notre Grand Canal à jamais immobiles au milieu du temps.

Quand, l'âge de la retraite venu, mon père a dû quitter le monde enchanté des aimants et des décalcomanies, il s'est lancé dans la généalogie. Il avait beau donner la plus grande partie de ses jours à l'aviron et à son cher Cercle Nautique de Versailles, il lui restait du temps. Les loisirs obligent à réfléchir, à dresser des bilans. Le sien n'était pas plus fameux que le mien : nouveau mariage, nouveau divorce, inexorable et désespérant déclin du « gaullisme de gauche »... sa vie perdait un à un tous ses repères. Il devenait urgent d'arrêter cette dérive. À quoi mieux s'accrocher qu'à ses racines ? Et cette question du *transgénérationnel* n'arrêtait pas de le hanter.

Nous savions depuis toujours, mais sans vraies précisions, que notre famille avait des origines cubaines. Il m'appela pour m'informer qu'il se lançait dans l'enquête :

– Parmi tes relations, tu n'aurais pas quelqu'un au Minutier Central ?

– Qu'est-ce que c'est ?

– Mais voyons ! L'administration qui conserve tous les états civils !

Hélas, je n'y connaissais personne.

– Dommage ! Je vais me débrouiller sans. Quelque chose me dit qu'à Cuba, je vais trouver des réponses.

– Quel genre ?

– Eh bien le secret de notre malédiction, par exemple. Je vais attendre d'avoir réuni quelques éléments pour t'en parler. Bonne journée.

Il disparut trois mois d'hiver. Il s'était arrangé avec Versailles : son vice-président avait pris le relais. Et si l'on continue de s'entraîner dur en janvier, février, les compétitions ne reprennent qu'avec les premiers jours du printemps. Je le croyais parti pour la Grande Île, surmontant, vu l'importance du motif, sa terreur de voyager.

Il m'appela enfin pour d'abord me soulager : il n'avait pas quitté la France. En conséquence, il avait échappé au choléra, à l'hépatite, à la dengue et à la méningite… toutes ces maladies qu'on attrape au loin. Il ne s'était aventuré que dans les offices de notaires où l'hygiène est généralement satisfaisante, et où le risque est plutôt modéré de choper par contagion une saloperie.

Rassuré sur l'état de sa santé, je m'empressai de le questionner.

– La bonne nouvelle, c'est que notre famille est normale jusqu'au début du XIXe siècle. Double origine : le Bordelais et la Haute-Loire. Rien de particulier. Les mariages durent. Les naissances et les morts s'enchaînent. Rien à signaler.

– Au moins, notre maladie ne remonte pas à la nuit des temps. C'est déjà ça !

– Tu as raison. Tout se gâte quand l'un de nos ancêtres de la branche bordelaise, tailleur de son état, décide de partir pour Cuba. Sans doute que la clientèle se faisait rare en France...

– Peut-être aussi voulait-il voir du pays ?

– Peut-être... Quoi qu'il en soit, j'ai de la chance. Pour mener cette partie caribéenne de mes recherches, je me suis trouvé une alliée. Rassure-toi, en tout bien tout honneur !

Jusqu'à la fin de sa vie se croirait-il obligé de préciser le mode de ses relations avec les femmes, et, par le fait, de si souvent mentir ?

– Agnès Renault, une doctorante du Havre. Une jeune femme d'ailleurs charmante.

– Je préférerais que tu me dises le sujet de sa thèse.

– « Les Français de Cuba, 1791-1825 ». Grâce à cette Agnès, j'ai pu remonter le temps. Et au fond du temps, j'ai retrouvé nos racines.

– Loué soit le Dieu des archives !

– Ne chante pas si vite. Notre famille a sa part d'ombre et de folie. Voici ce qu'hélas j'ai découvert.

– Je t'écoute.

*

* *

Cuba, vieille ville de Trinidad, août 1838.

Un jeune homme vient de se présenter au Café de la *Consolacíon*. C'est notre ancêtre. Il tient une valise à la main. Première de ses erreurs : il montre une place en terrasse. Je peux ? Bien sûr ! Vous arrivez ? De ce matin. Ma femme prépare notre petit logement. Vous pouvez laisser votre valise ici, derrière le comptoir, personne n'y touchera. Pardon, mais je la garde. Moi ce que j'en disais… Désolé mais j'y ai rassemblé tous les outils de mon métier. Quel métier ? Tailleur. Alors là, mille bienvenues ! On manque ici, et cruellement, de bons vêtements. Et avec tous nos enterrements, tous nos mariages, toutes nos processions… Allez, pour saluer la bonne nouvelle de votre arrivée, je vous offre à boire.

Le patron du Café de la *Consolacíon* s'appelle Gabriel Figueras. Cette précision n'est pas indispensable. Je ne te la donne que comme preuve du sérieux de mon enquête. Le tailleur se nomme Arnoult, comme nous, et se prénomme

Augustín, qu'on prononce en accentuant le A et la dernière syllabe (ce qui donne Aoougoustine).

Il débarque juste de France (Bordeaux). Comme je te l'ai indiqué précédemment, il a vingt-cinq ans. Il vient de se marier avec mademoiselle Magdalena Kenay.

Cet Augustín est ton arrière-grand-père, et la mystérieuse Magdalena ton arrière-grand-mère. Tu me suis toujours ? Parfait ! Après tout, c'est ton histoire autant que la mienne.

Pour sortir de chez lui, notre ancêtre s'est vêtu strictement.

— Tu crois vraiment, lui a dit Magdalena, que tu dois porter le gilet, et la veste et le col dur et la montre à ton gousset, tu as vu comme il fait déjà chaud et l'église n'a pas sonné dix heures.

— Un tailleur doit incarner l'élégance.

— Dans ce cas...

C'est le début de leur mariage, elle s'amuse encore du ridicule de son époux.

— Mon aimée, je te rappelle que nous n'avons pas un sou.

— Pour ce genre de choses, j'ai bonne mémoire.

— Si je sors, au lieu de t'aider dans notre installation, c'est pour une seule raison : prendre ma première commande.

— Qu'Il veille sur nous !

— Qui ?

— Notre Seigneur.

Lequel avait ce matin-là sans doute bien d'autres soucis avec la Terre que celui d'interdire au destin de tout préparer pour accabler la famille Arnoult. Car les erreurs de notre ancêtre commencèrent à se multiplier, après celle du vêtement trop chaud, après celle du choix de la terrasse. Pourquoi avoir, si tôt dans la journée, accepté ce rhum, alors qu'en homme sage et tempérant il ne buvait d'alcool qu'après le coucher du soleil et d'ailleurs seulement les jours de fête, soucieux de se garder en bonne santé pour subvenir aux besoins de la famille qu'il venait de créer ?

Dès la première et timide lampée, une chaleur nouvelle prit possession de sa gorge puis de son ventre et il se mit à tanguer. Il ne s'en inquiéta pas. Normal, après tout nous avons choisi une île et les îles sont des bateaux que seuls les ignorants croient immobiles. Et sur celle-ci, Seigneur, que les boissons sentent bon, le sucre et la cannelle et le poivre et le jasmin et la sueur des paysans et le vent de la mer et mon Dieu comme tous ces effluves naturels s'accordent bien entre eux pour réconforter le pauvre petit tailleur exilé ! À Cuba, même quand tout va bien, ces boissons affectueuses et enchantées devinent les chagrins sous la belle humeur et se mettent en quatre pour les apaiser. Vive le rhum, vive toi, mon nouvel ami ! Attention à toi, Augustín, je ne te reconnais pas.

À partir de ce moment-là, un avocat pourrait, face à l'accusation, plaider les circonstances atténuantes : vous comprenez, mesdames et messieurs les jurés, cet homme-là, juste déménagé de l'austère Europe, n'était plus dans son état normal.

La suite, hélas, le prouvera.

Par chance, malgré le plancher de moins en moins stable, notre ancêtre continuait de tenir ferme la poignée de sa valise, prunelle de ses yeux, grenier portable de ses uniques armes et trésors pour se trouver une place dans cette nouvelle vie.

Doit-il, par exemple, être tenu pour responsable, cet homme-là, quand une petite ritournelle entraînante, accordéon et guitare, s'invita dans l'air ?

Augustín tendit l'oreille puis appela le patron, le señor Figueras. D'un grand geste, un peu trop vaste pour lui, il lui montra la place :

– Où sont les musiciens ?

– Vous ne pouvez les voir.

– Et pourquoi donc ?

– Ils ont joué bien tard hier. Ils ne sont pas encore levés.

– Mais alors cette musique ?

– C'est la ville qui se souvient.

– Parce qu'ici les souvenirs s'entendent ?

– Vous verrez, dès que la nuit tombe, des dizaines d'orchestres se mettent à jouer. Et continuent souvent jusqu'à l'aube. C'est notre manière de faire provision de gaieté. Ainsi nous pouvons rester joyeux jusqu'au soir. Jusqu'à ce que la musique recommence. Même si, vers dix-sept heures, cette gaieté faiblit quelque peu. Alors pourquoi se priver d'un petit remontant pour atteindre la nouvelle rive, je veux dire, la nuit suivante ? Maintenant, pardonnez-moi, j'ai mon inventaire à finir. Quel tarif, le complet veston ?

Ce bonheur-là de notre ancêtre ne devait rien à l'alcool mais à la satisfaction professionnelle. Ça y est, première commande ! Ma famille va pouvoir manger.

Mais chacun sait que le diable se faufile avec aisance dans la morale. Et n'a pas son pareil pour glisser ses tentations dans l'esprit le plus assuré de son droit, le plus certain de n'avoir rien à se reprocher.

Une femme se présenta, un peu ronde mais l'air si rieur et le roulis des hanches si libre que le tailleur, à la nouvelle chaleur qu'il ressentit dans son corps, crut qu'il avait repris du rhum alors que ni sa main ni son verre n'avaient bougé.

Une autre suivit, bien plus longue mais hautaine, et puis une toute petite négresse, des yeux incandescents, et puis une vraie blonde à la peau caramel.

Toutes, elles saluaient le patron de même joyeuse et allusive manière :

– Holà, Gabriel, assez dormi pour une fois ? Holà, Gabriel, il te reste encore un peu de force pour me servir ? Holà, bravo Gabriel, ta camarade m'a dit que tu l'avais fait glousser trois fois cette nuit.

Aucune de ces apparitions n'avait prêté la moindre attention au tailleur endimanché agrippé à sa valise.

Pourtant Augustín ne s'était pas montré discret. Au lieu de se contenter d'un bref coup d'œil, comme n'importe quel jeune homme bien éduqué, il avait, à sa grande honte mais sans pouvoir résister, accompagné l'arrivée de chaque femme d'un mouvement circulaire de tout son corps. Il se morigénait *in petto* :

– Voyons, Augustín, un peu de tenue.

Impossible pour lui de résister. Hypnotisé, il tournait à demi sur lui-même.

Une douzaine de merveilles étaient ainsi entrées dans le café, et maintenant, on les entendait cancaner.

Le patron était sorti pour souffler un peu.

– Alors, le tailleur, la ville te plaît ?

– Qui sont ces... personnes ? demanda le tailleur dans un chuchotement, de peur qu'elles ne l'entendent.

– Les mères, jeune homme ! Tu vois l'école primaire juste en face ? Les enfants vont bientôt sortir. Elles sont venues les chercher.

– Et... elles passent chaque jour au café ?

– C'est plus frais que d'attendre au soleil, non ?

– Et... dans la ville... elles sont toutes aussi belles ?

– Mon pauvre ami ! J'espère que tu n'es pas marié.

– Le mois dernier.

– C'est bien ce que je disais : mon pauvre ami ! Chez moi viennent les mères. Mais bientôt tu verras leurs filles, leurs cousines, leurs nièces. Tu verras aussi les mères de ces mères, des aïeules de quarante ans et des aïeules d'aïeules de soixante en pleine forme, surtout les danseuses.

– Mais toutes les villes de Cuba sont aussi, comment dire... fertiles ?

– Toutes, même si Trinidad est célèbre dans toute la Caraïbe pour la qualité et la diversité de sa population féminine. Et je ne t'ai rien dit des touristes, les étrangères, pour le moment elles dorment encore, avec les musiciens d'ailleurs, surtout les Anglaises, dingues des guitaristes, celles-là, le pharmacien leur doit sa fortune. Il faut bien soigner leurs coups de soleil. Les Allemandes préfèrent les pianistes, on se demande pourquoi, chaque peuple a ses préférences, inutile de chercher à comprendre.

Le patron lui tendit la main :

– Bienvenue en Enfer, monsieur le Français !

– Ça me semble plutôt le Paradis.

97

– C'est pareil. Maintenant, qu'est-ce que je leur dis ?

– À qui ?

– À toutes ! Elles veulent savoir qui tu es, si tu as une femme, et surtout, surtout, ce que tu transportes si jalousement dans ta valise.

– Parce qu'elles ont remarqué ma présence ?

– Augustín, Augustín, un jour, je laisserai le café à mon cousin et je prendrai le temps qu'il faut pour t'expliquer comment fonctionnent les yeux des femmes. En attendant, je t'emmène cet après-midi chez le docteur. Tu verras, il ne se contente pas de soigner, il libère.

– Et pourquoi d'après toi aurais-je besoin d'un médecin ?

Il ressort hélas de toutes les archives familiales par moi consultées que jamais jamais, depuis qu'existaient des Arnoult, jamais aucun d'entre eux ne s'était senti si bien, rhum aidant, nous sommes d'accord, mais pas seulement.

Dans ces conditions, pourquoi consulter ?

– Ton cou, répondit le patron.

Inquiet, Augustín se passa la main sur la nuque.

– Qu'est-ce qu'il a ?

– Il ne tourne pas. Tu bouges le dos, pas le cou. Le docteur va te le débloquer. Si tu veux survivre dans une ville comme Trinidad, écoute-moi, tu dois être libre de tes mouvements.

Augustín, dont il ne faut pas sous-estimer la crainte permanente qu'il avait de toutes les maladies, donna son accord. D'accord, dès que j'aurai un moment j'irai me faire débloquer. En attendant, que veulent savoir ces femmes ?

– Tout.

– Tu ne leur as rien dit de ma valise, ni de mon métier ?

– Malheureux ! Si elles te savent tailleur, en une semaine, tu es mort. Nos amies sont prêtes à tout pour une robe. J'ai dit TOUT ! Et tu ne peux deviner ce que TOUT signifie quand une femme de chez nous a décidé de donner. Avant de les affronter, tu dois retrouver la pleine possession de tes moyens.

Et c'est ainsi que, dans l'après-midi même du 22 mars 1838, le poing droit de notre ancêtre Augustín se dressa immobile dans l'air et assez ridicule, il faut le dire, hésitant à heurter la porte du docteur Christoforo G. Monaco :

– Que va-t-il me trouver ? Ce serait si dommage, aujourd'hui une maladie. Alors que la vie m'ouvre ses bras.

*
* *

Dans la salle d'attente, tout le monde parlait avec tout le monde, et avec d'autant plus de loisir et par suite de détails que, de quart d'heure en quart d'heure, le retard du médecin s'accroissait. Régulièrement, une métisse toute jeunette passait la tête :

– Le docteur s'excuse, le cas qu'il traite présentement va lui dévorer le temps. Ceux d'entre vous qui préfèrent revenir demain seront les bienvenus et paieront moitié prix...

– Le docteur s'excuse. Les retards engendrant les retards, une consultation de nuit s'ouvrira dès vingt heures sonnées à l'église.

Pour le moment, personne ne protestait. Et la meilleure manière de tuer l'attente étant encore de raconter ses maladies, Augustín en apprit de belles sur les dossiers médicaux de chacun. Le fils du boucher ne parvenait pas à soigner sa syphilis. La marchande de couleurs recommençait à cracher du sang. L'époux d'Éliette – je peux vous faire confiance ? vous me jurez que nulle confidence ne franchira ce rideau de perles ? – le malheureux mari de cette beauté ne parvenait plus à la contenter.

Ce sujet délicat refermé, après une discussion générale où chacune et chacun put donner son point de vue et livrer sa recette infaillible, certains pour calmer la femme et d'autres pour ranimer l'homme, l'assistance se retourna vers Augustín qui jusque-là était parvenu à se faire oublier :

– Et toi, monsieur, tu n'es pas d'ici on dirait ?

– De quelle contrée du monde vient votre accent ?

– Catholique quand même ?

– C'est pas le tout de te régaler en nous écoutant, le Français, à toi maintenant de fournir !

Malgré son désir de se taire, Augustín fut bien obligé de s'expliquer, faute d'avoir pu rentrer sous terre.

Par chance, à peine avait-il commencé d'évoquer une affection invalidante des vertèbres supérieures que la métisse surgit :

– Monsieur Arnoult, à vous !

Le docteur Monaco, l'ami du cafetier Gabriel, était un tout petit homme propret, cheveux noirs gominés, lunettes rondes, mince moustache, chemise blanche au col pincé, cravate jaune, veste de lin bleu, pantalon gabardine, chaussures de toile beige.

La préciosité de son langage correspondait à la recherche de ses vêtements.

– Soyez le bienvenu, monsieur Arnoult. Auriez-vous l'obligeance de dénuder la partie de vous-même supérieure à la ceinture ?

Le docteur s'approcha. Son haleine sentait la menthe. Et ses doigts commencèrent à se promener sur la peau de notre ancêtre. Lequel n'en menait pas large. Depuis l'enfance, une imagination trop fertile, sans cesse ravivée par la lecture compulsive d'innombrables dictionnaires médicaux, lui avait inventé toutes les maladies possibles, avec une préférence pour les diagnostics désespérés : la peste, le goitre, la variole... Qu'allait donc lui découvrir ce praticien trop raffiné pour être honnête, trop méticuleux pour manquer le moindre cancer en devenir ? Pauvre Magdalena ! Décidément, mauvaise pioche en m'épousant.

Et le spectacle offert par les murs du cabinet n'était pas fait pour rassurer : rien que des *écorchés*, ces gravures où s'expose impudemment l'intérieur des corps une fois la peau arrachée.

– C'est grave ? balbutiait Augustín, je préfère savoir la vérité : j'ai charge de famille.

Déjà le praticien se relevait.

– Rhabillez-vous.

– J'en... ai... pour... combien... de... temps ? articula Augustín, syllabe après syllabe.

– Oh, six mois devraient largement vous suffire.

Et le docteur accompagna sa condamnation d'un large sourire.

Augustín saisit fébrilement ses affaires et faillit s'enfuir du cabinet, je suis tombé sur un pervers, Magdalena nous repartons dès ce soir pour l'Europe, décidément, il y a trop de fous dans ces Caraïbes.

Le docteur Monaco s'amusait fort :

– Ce sont vos nerfs les plus atteints, jeune homme. Avant tout autre traitement, je vais vous prescrire des décoctions calmantes. Certaines herbes font merveille.

– Ne tournez pas autour du pot ! J'ai droit, vous m'entendez ? droit à la Vérité !

– Laissez-moi deviner. N'exerceriez-vous pas le beau métier de tailleur ?

– Exactement.

– Alors, rien de plus normal ! Vous souffrez d'un mal que je qualifierai de professionnel. Je vais vous expliquer.

D'un tiroir il sortit une grande feuille de papier et entreprit de dessiner. Une tête puis un cou puis des épaules. Il mettait à son œuvre le plus grand soin, indifférent aux mouches qui lui couraient sur le front, sourd aux grondements venus de la salle d'attente.

– Vous ne pensez pas qu'un schéma suffirait ?

Le docteur poursuivit ses crayonnages.

– Le corps humain est LA merveille de la Création. Il mérite le respect.

Enfin il parut satisfait de son travail.

– Vous me reprendrez si je me trompe mais, d'après ce que j'en sais, il me semble qu'un tailleur ne tourne que rarement la tête. Soit il la relève, soit il l'abaisse pour vérifier le tombé d'une robe, l'équilibre d'une coupe.

Pour ce faire, il doit mobiliser une petite armée de muscles. Les uns ont des noms de papillons : les scalènes. Les autres pourraient désigner des soldats romains : le splénius, le complexus, et, le plus profond, le longissimus. On pourrait ajouter le trapèze et l'angulaire... Tous ils relient l'arrière du crâne aux différentes parties du dos : vertèbres cervicales, omoplates... Chez vous, je l'ai vérifié par palpation, ils sont fermes et toniques, preuve que vous les utilisez souvent et confirmation de votre activité principale.

– Je vous remercie.

– Pas de quoi. Comme vous avez pu le remarquer, je me passionne pour l'anatomie. Dans une prochaine existence, je deviendrai masseur. Rien de plus beau que d'écouter le corps par les mains. Une fois bien perçue et bien comprise la musique de la souffrance, on peut la soigner. Votre insuffisance à vous vient d'ailleurs. Regardez.

Du doigt, il désigna une autre partie de son dessin.

– Voici le sterno-cléido-mastoïdien, un muscle à plusieurs faisceaux. À la base il tient au sternum, comme vous voyez. De là, il va, de chaque côté, s'accrocher à la clavicule (d'où le nom cléido) et à l'os que nous avons derrière l'oreille, le mastoïde. Grâce à ce système de tension et de rappel, la tête peut suivre n'importe quel spectacle *horizontal* et notamment celui d'une passante. Un tailleur n'utilise pas son sterno-cléido-mastoïdien. Conséquence : il est atrophié. Nous allons vous rééduquer. Dans six mois, je vous garantis une mobilité parfaite, correspondant à votre curiosité des femmes. Elle est insatiable, n'est-ce pas ? malgré tous vos efforts pour la brider ? Sans elle, auriez-vous choisi Cuba ?

– Et ce programme de... rééducation ? Je viens juste d'arriver. Je n'ai pas encore eu le temps de me constituer une clientèle. Même si votre ami Gabriel, le cafetier...

– N'ayez pas d'inquiétude. Au moins pas celle-là. Notre programme est gratuit.

– Quelle générosité ! Mais je ne comprends pas. La commune est pauvre et je viens d'arriver. Vous devez avoir d'autres urgences.

Le petit docteur sourit. Puis se plongea dans une séance d'écriture qui dura longtemps et l'obligea à consulter plusieurs fiches. Augustín se rongeait les ongles. Enfin l'ordonnance est tendue au patient :

– Voici pour vous. Je me suis permis d'ajouter mes mensurations. Pour un costume d'été. À vous de choisir la matière, la plus légère possible. J'imagine que vos tarifs sont raisonnables. Et maintenant, vous me pardonnerez.

Sur son bureau, il saisit une sonnette en tout point semblable à celle qu'agitent les enfants de

105

chœur pour prévenir de l'Élévation : manche en bois tourné, clochette de faux argent.

La secrétaire métisse raccompagna un tailleur doublement satisfait : de cette nouvelle commande qui ne manquerait pas d'apaiser les remontrances de Magdalena (« Si, à peine arrivé, tu me laisses seule toute la journée, je préfère retourner chez ma mère »)... et subsidiairement d'avoir échappé, pour cette fois, au diagnostic de maladie mortelle.

Et maintenant, voyons voir ce que cette miniature de médecin m'a prescrit.

Au milieu de la place, impossible de lire quoi que ce soit. Aucun œil ne pouvait résister, même protégé par des paupières clignées, à la lumière du soleil tropical renvoyée par la blancheur immaculée des façades. Le tailleur gagna le porche de l'église.

Sur l'ordonnance, le docteur Monaco (ancien lauréat des facultés de Montpellier et de Cracovie) avait écrit :
Largeur des épaules : 40 cm
Pourtour du thorax inspiré : 80
Hauteur du buste, de la ligne des clavicules à celle des hanches : 50
Hauteur de l'entrejambe : 70
Tour de taille : 85
Ourlet du pantalon ? Oui : 3

Et pour le réveil de votre
sterno-cléido-mastoïdien,
deux heures quotidiennes de séjour,
à la terrasse de notre Café de la *Consolacíon*.

*
* *

Chaque jour, au premier coup de midi sonné
par l'église, paraissait au café le petit docteur
coiffé d'un panama trop grand. Il achevait ainsi
sa première tournée de visites. Son verre de
Fernet-Branca l'attendait, un breuvage amer
dont il était à Trinidad le seul amateur et que
Gabriel faisait venir d'Europe, *via* La Havane,
rien que pour son ami. Si c'est son goût, c'est
son affaire. Et ne comptez pas sur moi pour lui
demander ce que cache cette préférence pour
l'amertume. L'amitié, comme l'amour, ne dure
que grâce aux mystères.

En sortant, le docteur ne manquait jamais de
saluer Augustín installé déjà sur sa terrasse :

– Tout va bien, monsieur Arnoult ?

– Au mieux.

– Je vois que vous suivez mon traitement.

– Scrupuleusement.

– Alors la guérison ne devrait plus tarder.
D'ailleurs, rien qu'à l'œil nu, je peux voir que
votre sterno-cléido-mastoïdien se développe.

Le panama trop grand se soulevait.

– Bonne journée, monsieur Arnoult.

– Bonne journée, docteur.

*
* *

Mon fils, tu me suis toujours ? Excellent !
Pour que tu tiennes en main toutes les cartes de
notre malédiction familiale, il faut ajouter que
Notre Seigneur, le Malicieux Tentateur, avait
doté Augustín de toutes les grâces propres à
faire chavirer le cœur et le corps d'une femme :
chevelure noire fournie (qui ne se dégarnirait
que par la suite), yeux noisette, hautes pommettes, parfaite propreté des mains, min-
ceur juvénile, jambes plutôt longues, bonnes
manières évidentes, timidité bouleversante (je
veux dire : à bouleverser, le plus tôt sera le
mieux et qu'importe mon mari).

*
* *

À cet instant, il m'était impossible de laisser
mon père continuer son récit :

– On peut donc dire que tu dois ta beauté à
Augustín.

– De quelle beauté parles-tu ?

108

– Ne joue pas les modestes ! Tu sais bien que tout le monde, à commencer par maman, tu te souviens ? ton ex-femme, oui, tout le monde te prenait pour le petit frère de l'acteur américain Clark Gable. D'ailleurs, je n'ai jamais compris, chaque fois qu'un miroir me renvoie ma pauvre tête, pourquoi cette faveur génétique s'était interrompue net après toi. Mais c'est une autre histoire. Ta ClarkGablelité te viendrait donc d'Augustín ?

– Comment veux-tu ? Clark Gable n'a aucune racine cubaine. Son père William Henry venait de l'Ohio, tout comme sa mère Adeline. Pas le moindre lien avec nous. En outre, il est né le 1er février 1901, moi, le 26 novembre 1924. Comment veux-tu que je sois son frère ?

– Je remarque que tu t'es bien renseigné sur lui !

– Arrête de me couper le fil ! Oui ou non, veux-tu savoir d'où vient notre malédiction ?

– Je le veux.

– Alors, cesse de m'interrompre ! Les histoires sont susceptibles. Quand elles ont trop l'impression d'être dédaignées, elles rentrent dans leur trou, dont plus personne ne pourra les faire sortir.

– Je t'écoute.

*
* *

Augustín n'en avait jamais fini avec l'inquiétude. Lecteur toujours aussi fiévreux des manuels de médecine qu'il se procurait de toutes les facultés d'Europe, il n'ignorait pas que chaque traitement ayant atteint son but doit être arrêté net sous peine d'engendrer des conséquences pires que le mal originaire.

Or il avait beau, la nuit, convoquer les saints du calendrier pour qu'ils lui viennent en aide, chaque matin, à dix heures pile, malgré ses résolutions, il se retrouvait à sa place habituelle de la terrasse maudite. Une passante se présentait, Elia, la négresse caramel, puis Ingrid, la grande Suédoise, fille d'un négociant en fenouil qui n'était jamais reparti. Puis Zulueta, la directrice de l'école de danse, puis Esther aux cheveux bouclés, puis grand-mère Isabel, invariablement suivie par les deux jumelles Clara et Bianca, bousculée par Maria, la bouchère acariâtre, et ainsi de suite, sans doute la totalité des demoiselles et dames de la ville, de dix, douze ans à plus d'âge.

Et toutes, maintenant assez intimes de notre ancêtre, l'interpellaient sans vergogne :

– Toujours fidèle au poste, l'Européen !

– Elle est d'accord, ta femme ?

– Et ma robe, tu y penses ?

– Tu as ma taille dans l'œil ou tu veux que je m'approche ?

Augustín s'enchantait de cette procession, sans cesser de se caresser le cou. Déclenchant les quolibets de ces dames :

– Ce n'est pas le bon endroit !

– Voyons, tailleur ! En France, on ne vous apprend pas les zones utiles ?

*
* *

Mon père aurait pu continuer des heures et des heures le compte-rendu de son « enquête ». Seule la nuit l'arrêta et la fermeture prochaine du parc de Versailles. La Flottille s'était vidée sans prévenir.

J'ai appelé Georges.

– Nous avons encore le temps pour un champagne ?

– Si vous buvez vite.

Il s'est hâté vers le bar. Mon père me regardait, plutôt inquiet.

– Nous fêtons quelque chose ?

– Oui, le mensonge !

– Je crains le pire.

– Quand as-tu débuté ton enquête familiale ?

– Il y a trois mois.

– Et en si peu de temps, tu as réussi à réunir tant d'informations ! Je suis bluffé. En fait, jaloux. Tu m'indiqueras la méthode. Elle pourra me servir pour mes livres.

– Oh, je n'ai pas grand mérite. Agnès la doctorante m'a beaucoup aidé.

– Papa, maintenant, dis-moi franchement.

– Oui, mon fils, tu peux compter sur ma franchise.

– Quelle est la part de vrai, dans ce que tu racontes ?

– Sois plus clair !

– Dans ton joli récit de la malédiction, de notre malédiction familiale, qu'as-tu appris et qu'as-tu inventé ?

– Tu accuses ton père de mensonge, c'est ça ? De mensonge alors que je suis le premier à avoir osé aborder ce secret qui nous pourrit la vie depuis des générations ?

– Calme-toi, papa !

– Quel besoin d'insulter ton père ? À soixante ans, tu n'as pas fini ta croissance ? Tu dois encore t'affirmer ! Vas-y, tue-moi si c'est bon pour ton développement !

– Voyons, papa. Je m'étonnais seulement de constater à quel point tu mens aussi bien que moi.

– Je ne mens pas, je déduis.

– C'est bien ce que je te disais : nous mentons vrai.

– J'ai déjà entendu ça quelque part.

– Aragon.

– Le stalinien ?

– Oui, mais aussi poète immense. Ce terrible mensonge de la Révolution était sa vérité. Je veux dire la colonne vertébrale qui lui permettait d'avancer dans les jours.

J'en étais là de mes interrogations sur la *part de vérité* contenue dans l'enquête cubaine de mon père, lorsque m'arriva l'aventure suivante. Je peux la dater facilement : j'ai le talon du chèque par lequel j'ai réglé le médecin. Le 5 juin 2006, soit trois mois après que mon père m'avait raconté cette histoire rocambolesque de notre ancêtre Aoougoustine.

Marie-Rosalie Bonheur, dite Rosa Bonheur, naquit à Bordeaux en 1822. Peintre par vocation, elle décida de réserver son art aux animaux. On peut voir d'elle au musée d'Orsay trois grands bœufs tirant une charrue. De cette toile, *Labourage nivernais*, Paul Cézanne a dit : « C'est horriblement ressemblant. » Pour avoir le droit de se changer en homme, condition nécessaire à qui veut fréquenter les marchés aux bestiaux, sources de son inspiration, Marie-Rosalie devait renouveler tous les six mois auprès de

la préfecture une « permission de travestisse-
ment ». Elle portait les cheveux courts, fumait
des havanes et ne vécut qu'avec des femmes.
Faut-il pour autant conclure à son homosexua-
lité ? Je m'en garderai bien, la réponse, d'ailleurs,
manquant d'importance. Il reste que la municipalité de Paris a décidé en toute justice de bap-
tiser une rue de son nom.

Au numéro sept de cette modeste artère, qui
relie la place de Breteuil à l'avenue de Suffren
finissante, se tient le cabinet du bon docteur (et
sensible pianiste) Bruno Genevray.

C'est chez lui que ma compagne d'alors avait
décidé de m'entraîner.

– Que puis-je pour vous ? demanda poliment
le praticien, une fois le couple assis devant lui.

– C'est un peu gênant, dit la dame.

– Rien ne sortira de cette pièce, répondit
Bruno Genevray. Si vous saviez ce que ces murs
et mes oreilles ont entendu...

– Voilà, reprit cette jeune personne, mon
compagnon souffre d'une anomalie physique
que nous ne supportons plus.

Le docteur Genevray soupira d'aise et *in petto*
remercia le Très-Haut : enfin une consultation
qui allait le divertir de la routine gastro-intestinale
ou O.R.L. ! Soucieux pour prolonger son plaisir de conserver le suspens le plus longtemps
possible, il tenta de philosopher :

115

– Anormalité, normalité... j'ai vu tant de corps et si divers, je suis bien en peine de vous dire la norme de l'espèce humaine.

Ma compagne n'était pas là pour ratiociner.

– Vous êtes médecin. Vous allez pouvoir en juger !

Jusqu'alors, je n'avais pas prononcé un mot. Je n'avais accepté cette visite que de guerre lasse « si ça peut te faire plaisir » et « si tu crois qu'il reste encore quelque chose à sauver entre nous ».

Ma compagne se retourna vers moi :

– Allez, montre-toi, qu'est-ce que tu attends ?

Quelle rage poussait cette personne, si réservée d'ordinaire, si corsetée par son éducation religieuse ? Quelle autorité soudaine, sinon le désespoir, l'ultime tentative pour ranimer notre amour ?

Toujours dans le même état de résignation, j'obtempérai. Mais au lieu de quitter mon pantalon, comme s'y attendait le docteur Genevray – la première partie de l'entretien lui ayant fait prévoir quelque difformité du pénis, soit par excès, soit par manque – je retirai ma chemise. Et la dame tendit le doigt vers mon cou :

– C'est là, dit-elle.

– Mon sterno-cléido-mastoïdien, dis-je. Il paraît que je souffre d'hypertrophie.

Le docteur Genevray, à qui trente années de médecine interne en avaient appris beaucoup sur la folie des hommes, luttait contre un fou rire qui s'annonçait dévastateur. Et le rappel de son serment d'Hippocrate (article 1bis « ne jamais se moquer d'une détresse ») n'y ferait rien.

À grand-peine, il parvint à questionner :

– Depuis longtemps ?

– Je ne sais pas.

– Vous ne l'examinez pas ? demanda ma compagne.

Le docteur s'exécuta, ravi de cette diversion. Au bout de trois minutes, il se relevait :

– En effet, il est... costaud.

– Qu'est-ce que je vous disais, triompha ma compagne.

– Et pardonnez-moi, mais... quelle est la conséquence pour votre couple d'une hypertrophie de ce muscle-là ?

– Il semblerait... commençai-je.

– Non, il ne semble pas, gronda la dame, il se vérifie, et dix fois, cent fois par mois...

– Il se vérifie donc, repris-je toujours aussi placide, il s'avère que je regarde trop les femmes qui passent.

– C'est humiliant. C'est même insupportable. À moi de choisir si je vais continuer longtemps à l'accepter. Non, ce que je voudrais savoir de vous, c'est la transmission.

– Pardon ?

En résumé, la dame envisageait de me faire un enfant. « Car voyez-vous, docteur, malgré ses immenses défauts, il faut reconnaître à cet Éric certaines qualités. » Elle voulait savoir le risque qu'aurait ce garçon (« Ce serait forcément un garçon, n'est-ce pas, docteur ? ») d'hériter de cette malformation familiale.

Si, cherchant un praticien excellent, il vous arrive de rencontrer le docteur Bruno Genevray, regardez-le, sans insister car cet homme est un pianiste trop sensible pour n'être pas timide, oui fixez-lui la lèvre supérieure. Vous y distinguerez la trace d'une mince cicatrice. C'est la morsure violente qu'il s'est infligée ce jour-là, 5 juin 2006, pour demeurer fidèle à son serment et ne pas hurler de rire devant la démence de la famille Arnoult et l'inconscience de celles qui veulent s'y aventurer.

Le lendemain, le bon docteur m'appelait pour parler de la pluie, du beau temps, de mes derniers résultats de PSA (prostate), et surtout pour me demander, mine de rien, quel avenir je voyais dans ma relation avec la personne, par ailleurs très jolie, qu'il avait eu le plaisir de recevoir avec moi la veille. Ma réponse (« aucun avenir ») le rassura. À la bonne heure. Mon Éric progresse. Il n'est pas forcé de commettre toutes les bêtises.

– Papa, s'il te plaît !

Combien de fois, assis à la terrasse d'un café près de mon père, j'ai cru mourir de honte. Pourtant je le connaissais, j'aurais dû proposer un autre lieu de rendez-vous. Mais chaque fois, il insistait, il argumentait, il émouvait : tu connais mon âge, tu veux me priver de mes ultimes plaisirs, combien de beaux jours verrai-je encore ? C'est peut-être, pardon, c'est sûrement le dernier.

Alors je cédais.

– Merci, mon fils ! Tu as une préférence ? Tu te rappelles le *Fouquet's*, comme on était bien ? Ou ce bon vieux *Flore*. Et si on essayait ailleurs, le boulevard des Italiens, par exemple, on m'a dit grand bien du *Rendez-vous des vedettes*, juste à gauche de l'Olympia, tu trouveras ? Dix-sept heures ? J'ai tant de choses à te dire...

Et mon cauchemar commençait.

Toutes les trois minutes en moyenne (j'ai calculé), une passante capturait l'attention de mon père. Pour une raison le plus souvent compréhensible par lui seul. Enfin, papa, qu'est-ce que tu lui trouves, à cette Japonaise ? Pauvre de moi, j'ai engendré un fils qui n'aime pas les femmes ! À l'instant plus rien d'autre au monde n'existait, surtout pas moi. Ses yeux, émerveillés, ne la quittaient plus. À croire qu'il avait gardé de son ancien métier une maladie de l'aimantation. Alors que l'élue de son regard finissait par disparaître, ce n'est qu'à grand regret qu'il revenait vers moi. Tu as vu ces jambes ? Tu as aimé ce port de tête ? Je suis sûr que tu n'as pas remarqué sa manière, enfantine, de balancer son sac. J'aime tant la gaieté chez une femme, pas toi ? Quelque temps plus tard, une autre créature se présentait. Noire ou rousse. Petite ou grande. Replète, élancée, rieuse ou sévère... À ces moments-là, je repensais à ma mère, ô comme je la plaignais. Mon père appartenait à ce type d'hommes qui n'ont pas de type de femmes. Ma mère, une seule seconde, avait-elle eu le sentiment d'être *préférée* ?

*

* *

Le rendez-vous s'achevait toujours de la même manière. Mon père se levait brusquement :

– Un peu plus, j'allais oublier, je me sens si bien avec toi.

– Oublier quoi ?

– Mais ma réunion à la Fédération ! Tu imagines peut-être que les jeunes rament seuls, sans organisation ! Et que les médailles olympiques se gagnent toutes seules, sans préparation méticuleuse. Il y a des jours où je me demande où tu as la tête...

– Pour la tienne de tête, papa, je sais ce qui l'attire.

– Je n'ai pas le temps de comprendre. Allez, à bientôt. Que c'est bon d'avoir un grand fils avec tant à lui dire !

– Papa, s'il te plaît !

– Tu sais bien que je n'ai jamais aimé que ta mère.

– Papa, s'il te plaît !

– Tu sais qu'à mon âge, c'est sans conséquence, seulement esthétique.

– Papa, te rappelles-tu la fois dernière ? Une longue Noire passait.

– Aucun souvenir !

– Tu l'as regardée, bien sûr. Et bien sûr, elle t'a souri.

– Et alors ? On a le droit, non ?

– Papa, tu te souviens de ton soupir ?

– Comme si j'allais me plaindre quand je suis là tranquille, encore vivant, auprès de mon grand fils, à suivre le mouvement de la ville.

– Papa, s'il te plaît !

– Je t'écoute. Qu'aurais-je donc soupiré ?

– « Ah, si j'avais encore quatre-vingts ans ! »

– Ridicule ! Une phrase qui ne me ressemble pas du tout.

– Maintenant, je vais t'enregistrer.

– Maintenant, tu vas surtout t'arrêter d'inventer. Je suis ton père, tu es mon fils, nous sommes dans la vraie vie, pour être plus précis au numéro 26 du boulevard des Italiens, j'ai noté, et pas dans un de tes romans, je ne suis pas un personnage. D'ailleurs, je préfère tellement les livres où tu racontes le Gulf Stream, le coton ou le papier. Pendant ce temps-là, tu laisses tranquille ta famille !

Cela dit, il s'est levé. J'avais peur de l'avoir fâché.

– Rien de toi ne peut me fâcher mais la Fédération m'attend.

Cette question de la *vérité* des histoires m'obsédait. Avec une impatience croissante, j'attendais la conversation mensuelle avec mon père. Dix fois, j'ai failli l'appeler pour avancer le rendez-vous. Mais je me suis retenu. Il faut respecter les rituels. Sinon, ils se vengent.

Mais ce dimanche-là, à peine assis, et sans même laisser à Georges le temps de s'approcher, je me suis lancé :

– Papa, arrête de me sourire et regarde-moi. Parfait. Allons plus loin. Qu'avons-nous donc, toi et moi, dans l'oreille qui nous donne ce si fort et si permanent besoin d'histoires ? Les femmes ont un clitoris...

– Éric, je t'en prie !

– Et nous ? N'aurions-nous pas dans la famille, de père en fils, une petite excroissance

123

anatomique qui s'excite dès que résonnent les quatre mots magiques, *il était une fois* ?

Mon père rougit et, lentement, reprit son souffle.

— Comme tu y vas, aujourd'hui !

— Nous devons progresser.

— Figure-toi, mon fils, que je pense la même chose. Je me suis souvenu de ma jeunesse et de mes émois. Bref, j'ai relu Casanova. En matière d'amours, c'est la mine, non ? Ou si tu préfères, le catalogue. Voici ce que j'y ai trouvé qui pourrait nous intéresser.

Là-dessus, il s'arrêta. Les vrais conteurs sont des maîtres du temps et des sortes de cuisiniers : ils savent à quel moment il faut faire mariner l'auditeur. Et de quelles épices il faut relever la marinade. Il fit semblant d'hésiter dans la carte que lui présentait Georges, pour choisir, comme d'habitude, le magret pommes Sarlat.

— Papa, s'il te plaît !

— J'arrive. Dans l'*Histoire de ma vie*, te rappelles-tu Hedwige ?

J'avouai mon oubli.

— Dommage ! C'est une Genevoise, dans les vingt-huit ans, passionnée de théologie. Elle présente à Casanova la théorie suivante. Pour se protéger, elle l'attribue à Saint Augustin.

— Papa, tu ne pourrais pas aller droit au but ?

– L'Écriture sainte précise que la gestation de la Vierge Marie commence à l'instant même où l'Ange Gabriel lui annonce sa maternité future. Hedwige et Saint Augustin en concluent, très logiquement, que Marie a conçu, ou si tu préfères a été fécondée, par… l'oreille.

Oh, le triomphe de mon père devant mon air ébahi ! Oh, cette manière qu'il eut alors, insupportable, quoique muette, de prendre à témoin toute la salle, en priorité ses collègues du Cercle Nautique : vous voyez mon arrogant de fils comme je lui en ai bouché un coin ?

Je devais au plus vite reprendre la main.

– Très intéressant, mon père ! La piste s'annonce fertile. Je peux te poser une question ?

– Pour quoi d'autre sommes-nous là ?

– Je veux dire une question personnelle, vraiment personnelle. Crois-tu que ta pudeur légendaire te permette de me répondre ?

À son tour d'être accroché. Il me fixait bouche bée et sourcils froncés. Oh ! comme j'étais satisfait ! Il ne fallait pas qu'il oublie le pouvoir de la transmission génétique. Moi aussi, je savais raconter.

Je le laissais finir de mastiquer son magret et portai l'attaque :

– Je repense à Casanova, à Hedwige et à la Vierge Marie. As-tu, toi aussi, sois franc, mon père, as-tu conçu par l'oreille ?

– J'ai peur des précisions qui vont venir. Mais continue quand même.

– As-tu, je te promets de rester le plus doux possible, après tout – je veux dire : avant tout – tu es mon père, as-tu, une fois, parfois, souvent, demandé à une femme de te raconter ses, comment dire, ses extases avec d'autres que toi ?

Mon père piqua du nez vers son canard.

– Et y as-tu pris du plaisir ?

Maintenant mon père promenait partout son regard, comme s'il découvrait La Flottille. Enfin il se souvint que son fils existait.

– Je dois avouer que c'est une bonne question.

Silence. Sourire.

– Une question cruciale pour le traitement éventuel de notre malédiction familiale.

Un jour, forcément, obsédé comme je suis de résultats chiffrés et de classements (en bon lecteur de *L'Équipe*), j'établirai le palmarès de tous nos déjeuners. À l'évidence, celui dont je viens de vous parler mérite un podium, peut-être même la première place.

Car jusqu'au soir nous n'avons pas cessé de creuser le thème, l'excitation par les histoires, ce thème si dérangeant soit-il, surtout pour un fils et son père.

Alors que je suis écrivain, je vous le rappelle, c'est encore mon père qui a nourri le dossier en y ajoutant le père d'Hamlet. N'avait-il pas été assassiné par un poison qu'on lui avait versé dans l'oreille ?

– Tu vois, mon fils, méfions-nous, beaucoup d'histoires sont meurtrières.

Mais c'est moi qui convoquai Oscar Wilde. Il mourut d'une infection du tympan étendue en mastoïdite. Quand il reçoit trop d'insultes, le cerveau finit par pourrir. Et la prison n'arrange rien.

Nous nous quittâmes plus satisfaits l'un de l'autre que jamais. Alors pourquoi avait-il voulu disparaître le lendemain de mon mariage ?

II

Nous ne nous sommes pas inquiétés tout de suite. Mon père nous avait accoutumés à des absences, liées à ses responsabilités : président de la Fédération française d'aviron. À ce titre, il faisait visiter notre pays à de nombreuses délégations étrangères. Ou il accompagnait un peu partout de jeunes athlètes. Ensemble ils partaient pour des compétitions discrètes et lointaines. On n'imagine pas comme on rame en France, sur le moindre cours d'eau, sur des lacs perdus entourés par beaucoup plus de sapins que de spectateurs.

Derrière le petit bus suivait la remorque où s'étageaient les bateaux démontés.

C'est ma sœur qui a lancé l'alarme. Saisie par une soudaine angoisse, elle s'était précipitée à Parly II, l'endroit de la Terre où notre père, pour d'étranges raisons que je vous rapporterai, avait choisi d'habiter. Ma Juliette exceptée, je ne connais pas d'autre être humain capable de

131

trouver sa route dans ce dédale de résidences. Sans doute que joue aussi, pour son orientation, un bon petit reste de complexe d'Œdipe. En tout cas, c'est bien de chez lui qu'elle m'a appelé :

– Il a disparu !

– Tu as joint le Cercle nautique ?

– Ils ne l'ont pas vu ce matin.

– Peut-être avait-il une régate ? ou un entraînement ? A-t-il emporté un bateau ?

– Je les rappelle.

Cinq minutes plus tard nous avions notre réponse : aucun huit ne manquait, aucun quatre, aucun skiff. Et le petit bus attendait bien sagement dans la cour de la Petite Venise.

– Alors c'est plus grave.

J'ai joint mon frère, le psychiatre. Je lui ai expliqué la situation, notre inquiétude et notre incompréhension.

– Pourquoi, a dit mon frère, serait plus grave ce que tu ne comprends pas ?

J'ai réussi à ne pas m'énerver. Nous avons décidé d'aller retrouver notre sœur. Rendez-vous à la gare Versailles-Rive-Droite. À partir de là, les taxis connaissent. J'ai raccroché.

Avec tous ces coups de téléphone, même chuchotés, j'avais fini par réveiller ma toute récente épouse. Pour notre voyage de noces, j'avais choisi Saint-Germain-en-Laye, un hôtel qui s'appelle Pavillon Henri-IV.

Assise sur le lit, elle me regardait. Sous son tee-shirt trop grand, très lâche, je voyais ses petits seins.

– Tu t'en vas déjà ?

– Mon père a disparu.

Je l'ai vue distinctement balancer entre agacement et tendresse. Elle a choisi de pencher vers la tendresse. Elle m'a embrassé.

– Mon pauvre chéri ! Tiens-moi au courant. Je vais en profiter pour aller voir ma mère.

Et maintenant nous voici, mon frère, ma sœur et moi, tous les trois dans cet appartement vide. On se serait crus réunis pour le partage des biens, au retour d'un enterrement. Alors qu'on venait de mon mariage.

Mauvaise ressemblance !

Comme pour un repas, nous nous sommes assis tous les trois autour de la table *IKEA*, chacun sur une chaise tulipe *Knoll*, les trois seules richesses de notre père, avec ses tableaux de bateaux.

– En tout cas, il n'a pas pu aller bien loin.

– Ça, c'est vrai. Avec sa terreur de partir !

– Vous vous souvenez de l'assurance-vie qu'il avait prise avant d'aller rejoindre son frère au Brésil.

– Une seule visite en cinquante ans !

– Et à Bréhat, vous vous rappelez : il ne s'aventurait jamais longtemps loin de la baie.

« Le temps peut changer à tout moment. » Alors qu'il barrait son bateau comme personne.

– Arrêtons de parler comme ça. On dirait qu'il est mort.

– Oh, la mort est beaucoup trop loin pour lui. Je suis certaine qu'il a refusé d'aller jusque-là.

Nous avons beaucoup ri à cette remarque de ma sœur.

– C'est pour ça qu'il aime tant l'aviron. On ne s'écarte jamais des rives.

– Si on appelait Bréhat ?

– Tu as raison. C'est là-bas qu'il doit être.

Vous avez tout de suite compris que, dans notre fratrie, c'est notre sœur que le Créateur a dotée d'esprit pratique. Elle avait commencé une carrière brillante chez *Europ Assistance*. Quand, pour mieux s'occuper de sa famille nombreuse, elle a décidé de tout abandonner, adrénaline, responsabilités, bon salaire et perspectives plus alléchantes encore, son directeur s'est désespéré.

– Je respecte votre décision, Juliette. Mais permettez-moi de vous dire que j'enrage ; pour une fois que j'avais embauché quelqu'un pourvu d'un véritable sens de l'urgence !

Sur l'île, l'île où notre famille passe tous ses étés depuis si longtemps, tout le monde connaît mon père. Il a beau ne prévenir personne, on sait qu'il est là sitôt débarqué, à n'importe quelle heure, n'importe quel jour.

Pour faire le partage entre la présence et l'absence, les Bretons ont des talents rares. Des sixièmes, septièmes ou huitièmes sens leur viennent. Entre les marins retenus de longs mois en campagne de pêche et les perdus corps et biens, il faut savoir s'y retrouver. Je me souviens, enfant, la nuit, quand claquaient les volets, Marianne, la cuisinière, nous apprenait à distinguer lequel des équipages nous appelait de l'au-delà : celui de la vedette *L'Aide-Toi*, coulée par un récif juste devant La Tour Blanche, ou celui de la *Marie-Cécile* avalée par les eaux suite à son chalut resté accroché au fond...

Oui, tout le monde sur l'île sait dans la seconde qui arrive et qui est là et sous quelle forme : revenu ou revenant.

Rémi a décroché. Le camarade de mon père depuis l'école primaire. Maintenant il marche mal. Il dit que c'est la faute au roulis. Tant d'années sur des ponts qui branlent. La mer m'a flingué les hanches.

– Bonjour, c'est Éric, le fils de Claude. Il est là ?

– Qui ?

– Mon père.

– Pourquoi ? Il est là ?

Je l'ai rassuré. Voyons, Rémi, tu sais bien. Tu as toujours été sa première visite.

– Alors, c'est qu'il n'est pas là !

Silence.

– Dis-moi, si tu m'appelles… Il va bien ?

– Il voyage trop !

– Je lui répète. On n'a plus les artères pour tant bouger.

J'ai raccroché.

D'un même mouvement, ma sœur et moi nous sommes retournés vers notre psychiatre de frère. Professionnels de l'âme, ces gens-là doivent savoir où fuient les gens, et pourquoi. De la sueur a commencé à perler sur les tempes du professionnel de l'âme. Chez lui, c'est le signe qu'il approche d'une vérité.

– Oh, une telle disparition ne peut avoir que l'amour pour motif.

Nous nous sommes écriés ensemble, ma sœur et moi :

– Une nouvelle femme ! À son âge ! Non, pas ça !

Mon frère nous a considérés, accablé, sans doute honteux de partager avec des gens si bêtes le même patrimoine génétique.

– J'ai parlé d'amour. Non de passade.

– Alors c'est pire !

– Vous avez tout compris.

La vie continuait. Ma sœur devait aller retrouver ses nombreux enfants, mon frère ses patients et moi ma toute récente épouse. Laquelle, je vous le rappelle, avait penché pour la tendresse.

Mais l'agacement, voire pire, ne tarderait pas. D'autant, ne l'oubliez pas, que nous avions à peine commencé notre lune de miel.

Merci, papa ! Merci d'avoir disparu ! Tu ne me facilitais pas la tâche.

Ma sœur avait proposé de me raccompagner. J'avais refusé son offre.

– Je vais faire quelques pas. Besoin de retrouver mes esprits.

Décision imbécile. Qui peut se repérer dans Parly II ? Les résidences se ressemblent tant. On doit passer d'une vie à l'autre sans bien s'en rendre compte. Solférino, Iéna, Rivoli...

J'étais perdu.

Et pourtant, je crois bien que je souriais. C'est que je pensais avec tendresse à mon frère et à ma sœur. Pourquoi ne pas nous voir plus souvent ? Celui qui explique tout, celle qui apporte toujours des solutions et moi qui enjolive tout, avec mes histoires. Quel trio de choc nous aurions formé ! Capable d'affronter, avec succès, tous les combats de l'existence. Comme la disparition d'un père. Ou réussir à s'extirper de Parly II.

Je ne laisserai personne nous accuser de désinvolture, Isabelle et moi.

Nous voulions le réussir notre mariage ! Nous avions jusque-là tellement manqué nos amours. Isabelle et moi lui consacrions l'essentiel de nos forces. Surtout moi.

J'avais tellement confiance, après le Déjeuner de Présentation ! Bien sûr à La Flottille. Isabelle et mon père s'étaient tout de suite aimés, mieux, *reconnus*. Habitants du même pays : celui de la beauté, ce privilège, cette souveraineté qu'on reçoit à la naissance et qui ne cessera pas, même la vieillesse venue. Clark Gable rencontre une toute jeune Leslie Caron.

Et moi, en bon roturier exclu de cette aristocratie mais tout joyeux de voir de si près un roi, une reine, je me retenais d'applaudir.

– Oh, que je suis heureux, mes enfants, répétait mon père, oh comme vous semblez vous accorder et que le bonheur vous va bien !

Sitôt son émerveillement calmé, sitôt son assiette de cochonnailles avalée, il nous avait détaillé sa philosophie de l'union entre un homme et une femme : l'origine de nos amours, personne n'en connaît rien. Cela tient de mécaniques immenses, comme la dérive des continents, mais aussi d'harmonies minuscules. Mais si je peux me permettre un conseil, mes enfants : prêtez la plus grande attention aux débuts. Ne laissez pas les malentendus, ou la peur, ou la hâte étouffer cette chance immense qu'est l'origine. Oui, ne laissez pas les débuts tuer l'origine ! Ce sont les premiers jours qui donnent le *la*, ou qui lancent le train si vous préférez.

Nous ne pouvions plus l'arrêter. Il se mélangeait les pinceaux dans les comparaisons mais son exaltation faisait plaisir à voir.

Oui, les débuts ! Sur les débuts, vous bâtissez votre socle ! Après, vous n'avez plus qu'à tenir la note. Encore un peu de cet excellent Figeac, Isabelle ? Ah, vous ne supportez pas le tanin, qu'à cela ne tienne ! Garçon, un chablis !

Pour la cérémonie et pour la fête, je m'étais chargé de tout. J'avais décidé des moindres détails, les éléments biographiques pour le discours du maire, la robe que devrait choisir ma mère, j'avais trop peur qu'elle nous gâche le moral avec sa chasuble grise, le programme des musiciens, la longueur des nappes, l'assaisonnement des entrées... Heureusement que mon amie Claudine m'aidait : c'est, entre autres qualités rares que je vous raconterai un jour, la reine de l'événementiel.

Ma future femme me laissait faire, quelque peu sidérée par mon activisme.

— Pardon, ma chérie, je te délaisse un peu.

— C'est pour la bonne cause.

— Sitôt la fête finie...

— Tu veux dire : une fois les débuts bétonnés...

— Arrête de te moquer de mon père ! Le soir même et pour toute la vie je ne m'occupe que de toi.

— Tu crois que ça va me suffire ?

Où passer notre lune de miel ? L'idée de Saint-Germain venait d'Isabelle. « Ce n'est pas le château qui m'intéresse mais la forêt. » Elle avait douze ans quand on l'avait arrachée à son Afrique adorée. Ces arbres français devaient lui paraître tout petits. Face aux Okoumés, Fromagers et autres vieux Sipos de son cher Gabon, qu'est-ce qu'un chêne, qu'est-ce qu'un hêtre ? « Tu n'auras qu'à bien écouter, Éric, les arbres français parlent aussi... »

C'est ainsi que nous nous étions retrouvés au Pavillon Henri-IV, un grand hôtel un peu vieillot où, avant diverses restructurations architecturales, était né Louis XIV. Ce parrainage me semblait du meilleur aloi. Notre amour, encore un peu anonyme, prendrait, grâce au Roi-Soleil, une dimension nouvelle. Sans s'appuyer sur l'Histoire, comment donner de la grandeur à nos existences ? Avouons que me taraudait quand même une certaine inquiétude : dans cet univers de rois, et bien connus pour leur vaillance au lit, ma virilité allait-elle parvenir à surmonter une timidité bien naturelle ?

Heureusement, j'avais tant à faire. Le grand soir venu, je pourrais toujours invoquer la fatigue...

Le Pavillon Henri-IV (je veux dire Louis XIV), présentait pour Isabelle un autre avantage. Elle ne voulait pas trop s'éloigner de ses patients. En août tu m'emmèneras où tu veux, à condition que ce soit l'Afrique.

Et moi, travaillant sur Le Nôtre, le jardinier de Louis XIV, j'avais toujours admiré, à Saint-Germain, le dessin de sa terrasse. Un kilomètre et demi surplombant la vallée de la Seine, avec cette idée de génie, ce léger coude en son milieu.

Je me disais que cette géométrie, même si l'œil de ma chère et tendre n'en aurait pas conscience, serait bonne pour notre union. Comme le mariage, une perspective doit réserver des surprises. Et comme dans un mariage, la ligne trop droite n'est pas forcément le bon chemin pour avancer.

C'est vous dire si nous n'avions rien, dans ce mariage, laissé au hasard.

J'arrivai hors d'haleine à l'hôtel.

À la réception, une toute jeune femme avait remplacé la concierge. Elle n'avait pas encore acquis la placidité (et l'indulgence) qui convient à ce métier. Elle ne m'a pas fait de cadeau :

— Ah, c'est vous le jeune marié ! Enfin ! Votre femme a failli partir.

— J'ai mes raisons.

— Heureusement qu'elle aime courir. C'est son troisième jogging de la matinée. D'ailleurs la voilà.

Un vertige m'a pris.

Qu'elle était belle, de bas en haut, dans son appareil de sportive : chaussures fuchsia flashy, tenue noire près, si près du corps, joues toutes rouges, enfantines, cheveux noirs mal domestiqués par une casquette blanche à longue visière, un souvenir d'Australie, à ce qu'elle m'avait dit (sans autre précision).

Tant bien que mal je me suis raccroché à Henri IV. Lui n'aurait pas défailli devant une femme, fût-elle la plus désirable du monde.

J'ai balbutié :

– Mon père a disparu.

– Je sais. Tu me l'as déjà dit. Je te rappelle que le mien est mort.

Après, plus rien ne pouvait nous sauver.

Pas même, dans notre chambre, l'amour, frénétique, désespéré.

– S'il te plaît, répétait-elle, s'il te plaît.

Pas même le moment de calme, allongés sur le dos, les yeux au plafond mais sa main droite dans ma gauche.

Pas même l'amour, de nouveau. Plus lent, plus ample et sans nous quitter du regard et toujours aussi triste. Elle se mordait les lèvres, pour s'empêcher de dire quoi ? J'aurais tant voulu l'embrasser. Comment voulez-vous embrasser une bouche si fermée ? Quand la jouissance a fini par lui venir, elle a tourné la tête de gauche à droite, de droite à gauche, de plus en plus vite, à se dévisser les vertèbres tandis que le reste, tout le reste de son corps se cambrait.

Après, j'aurais dû trouver les mots. C'est mon métier, non ? Mais à qui parler ? Nous n'étions plus seuls depuis le début. Ma toute récente épouse m'avait donné ma chance, la chance qu'une fille donne rarement à un homme, celle de lui faire oublier son père.

Mais avec la disparition du mien, comment aurais-je pu empêcher le sien de se repointer, son père tant chéri, disparu dix ans plus tôt : alors ma fille, comment se passe ta lune de miel ? Oh ! là là ! pas très bien, il me semble ! Je te connais, je vois tes rougeurs sur le front, je vois ton bras qui te gratte, ma pauvre chérie. Quelle tristesse ! Ce que je m'en veux d'occuper tant de place dans tes rêves. S'il te plaît, si tu veux réussir ton mariage, essaie de m'effacer. S'il te plaît, Isabelle !

Quant au mien, de père, comment aurais-je pu lui en vouloir de disparaître ? Il avait sûrement cru bien agir. L'enfer est pavé de bonnes intentions, surtout dans l'univers sauvage de l'amour où n'existe plus aucun des repères habituels, ni le bien ni le mal, ni le vrai ni le faux.

Nous nous sommes levés puis rhabillés en silence. Que pouvions-nous faire d'autre puisque je n'avais pas trouvé les mots ?

Pendant qu'elle se préparait, je suis passé sur la terrasse.

De chez Henri IV, je veux dire de chez Louis XIV, on surplombe la vallée de la Seine. J'ai tenté de nommer les lieux. Marly, Le Pecq, La Celle-Saint-Cloud, Croissy, Buzenval, Rueil, Courbevoie... Sans m'en rendre compte, j'avais dû murmurer. Car ma bouche s'est souvenue d'une vieille comptine que me chantait ma mère, ma pauvre petite orpheline de mère, vous vous rappelez ? Celle qui, à la mort de ses parents, était devenue monarchiste, juste pour se sentir moins seule :

Mes amis, que reste-t-il
À ce Dauphin si gentil ?
Orléans, Beaugency,
Notre-Dame de Cléry,
Vendôme, Vendôme !

Et comme toujours, quand je pensais à ma mère, mon père s'invitait. Juste en dessous de notre hôtel, des bateaux sont passés sur l'eau verte, un skiff, suivi par deux huit. Un zodiac rouge les accompagnait. De si haut je ne l'entendais pas mais je devinais les conseils, les hurlements, gardez le rythme, cadence, cadence. Et moi j'ai continué ma comptine.

Les ennemis ont tout pris
Ne lui laissant par mépris
Qu'Orléans, Beaugency,
Notre-Dame de Cléry,
Vendôme, Vendôme !

Au loin, les tours de La Défense sortaient lentement du brouillard.

Malgré ma proposition, plusieurs fois répétée, de la reconduire à son cabinet de Boulogne, Isabelle préféra le RER.

Je crois que, comme moi, elle avait besoin de se retrouver seule au plus tôt, pour faire le point sur ce calamiteux début de mariage.

À la gare Versailles-Rive-Gauche, elle m'a laissé l'accompagner jusqu'au quai. Elle s'est retournée une fois. Curieusement son petit geste de la main m'a redonné un peu d'espoir. Pourtant il ne me disait qu'au revoir et son visage ne souriait pas. Et puis je l'ai perdue de vue dans la foule, pourtant clairsemée, du milieu de la matinée. La sirène a retenti, annonçant le départ. J'ai regardé la pendule. L'horaire était respecté. C'est pour cela que je sais l'heure exacte à laquelle s'est arrêtée notre lune de miel : 11 h 41.

J'avais juste le temps de repasser à Parly II.

Comme journal, je n'ai jamais vu lire par mon père que *Paris-Presse-L'Intransigeant*.

Dès que j'ai su déchiffrer les mots, je lui ai demandé le sens de ce titre qui barrait la première page :

– Un intransigeant est une personne qui refuse les concessions.

– Et qu'est-ce qu'une concession ?

– Abandonner son opinion. Admettre que l'autre a raison.

– Donc maman, qui refuse les concessions, est le féminin d'intransigeant.

– Tu as tout compris.

– Donc tu lis *L'Intransigeant* pour mieux comprendre maman.

Il leva les bras.

– Merci mon Dieu ! Vous m'avez donné le plus intelligent de tous les petits garçons du monde !

Dès qu'un vendredi soir, en page 7 de son *Intransigeant*, mon père découvrit l'existence du programme immobilier Parly II, il se sentit comme *appelé*. Appelé au sens religieux. Il avait trouvé sa Terre promise. À l'époque, nous vivions dans Paris, au coin de la rue de Vaugirard et du boulevard Pasteur. Nos fenêtres dominaient le lycée Buffon. Mais rien de plus morne qu'une façade d'établissement scolaire. Mon frère et moi préférions de beaucoup le spectacle du métro aérien. Nous pouvions passer des heures à suivre le parcours des wagons verts montant vers Lecourbe et Bir-Hakeim ou, sur l'autre voie, plongeant sous la terre. Un jour, nous aussi partirions en voyage aérien. Et il n'était pas rare que notre mère se joigne à nous, elle aussi le front contre la vitre, elle aussi jalousant le métro.

« Écoutez, dit notre père ce soir-là : trente-six résidences, sept courts de tennis, 85 000 m² de centre commercial, 73 000 de jardins, onze types de façades, huit piscines, huit cent cinquante candélabres… c'est l'Amérique ! »

Il brandissait le journal.

– Les appartements témoins ne vont pas tarder. On déménage, les enfants ! Le bonheur est possible, vous verrez ! Quel malin, ce promoteur. Il voulait ce terrain. Vous imaginez : vingt-huit hectares aux portes de Paris. Les propriétaires étaient deux vieilles filles très croyantes. Et vous savez leur nom ? Les sœurs Poupinet. Le promoteur a promis une église. Il a emporté le marché.

Quelle mouche américaine avait donc piqué notre père ? Nous ne le reconnaissions pas, lui qui se répétait « gaulliste de gauche » et qui, du plus profond de son âme de « gaulliste de gauche », méprisait les « malins ».

Son exaltation continuait.

Heureusement, l'heure était venue d'aller nous coucher. Je ne savais pas pourquoi, mais je ressentais un grand malaise. Le lendemain matin je me suis levé très tôt et j'ai couru vers la salle de bains où mon père se rasait. J'ai été rassuré. J'avais rêvé qu'il s'était cassé en mille morceaux, comme un miroir.

L'explosion de notre famille retarda son projet. Mais notre père continuait d'entendre en lui l'appel de Parly II. Dès qu'il fut libre de ses choix, je veux dire divorcé, il partit emménager dans sa Jérusalem.

Honte sur moi, le mauvais fils !

Quand il me fit visiter, tout joyeux, son nouveau domicile, j'eus beau prendre sur moi, je ne parvins pas à partager son enthousiasme. À ses émerveillements, « regarde le balcon plein sud, regarde le parking protégé juste en dessous, regarde la double exposition, en te penchant tu peux voir l'église, oui, celle que le promoteur avait promise aux deux sœurs Poupinet, oui, je n'y peux rien, elles portaient ce nom, et maintenant, viens dans la cuisine, on dirait un laboratoire, non ? tu as vu ? tout équipée, tout encastrée, j'ai gardé le meilleur pour la fin, la salle de bains, tu aimes le marbre, Éric, tu as un jour imaginé d'avoir des robinets en vieux bronze... », je ne répondais que par un sourire crispé.

– On dirait que tu n'aimes pas...

– C'est que la ville de Versailles, toute proche, est si belle. Pourquoi as-tu choisi cette...

Juste avant qu'il ne franchisse la barrière de mes lèvres, je parvins à retenir le mot « horreur », qui correspondait le mieux à mon opinion, et me rabattis sur « absence d'âme » qui ne valait guère mieux.

– Je vais t'expliquer. Tu n'as pas faim ?

Suivit, entre le *Palais des Jeans* et *Princesse Tam-Tam, lingerie jeune,* dans une Pizza au feu de bois authentique tout de suite choisie par lui comme quartier général, un long plaidoyer qui, je ne m'en suis pas rendu compte tout de suite mais je le sais aujourd'hui, était le plus formidable des autoportraits.

– D'abord, le nom, tu ne le trouves pas beau ? Parly II. C'est important, un nom ! Un nom, c'est une maison qui protège. C'est aussi un bateau, qui navigue pour nous. Parly. Au début, les promoteurs avaient choisi Paris, Paris II, le deuxième Paris. La municipalité de Paris a fait un procès. D'où Parly. Dommage, mais ça n'enlève rien au projet. Bâtir un nouveau Paris en profitant des erreurs du précédent. C'est comme la vie, Éric. À tout âge, tu peux la recommencer en évitant les erreurs passées.

– Tu as cet espoir, papa ?

– Oui.

– Alors c'est bien. Mais comment supportes-tu ce centre commercial au milieu des maisons ?

– Décidément, tu n'as rien compris à Parly II, Éric. L'hypermarché au cœur, c'est ça l'idée géniale, c'est ça la vie moderne. Comme aux États-Unis ! Il faudra t'y faire, Éric, ils montrent l'exemple...

Je l'ai laissé continuer sans plus trop l'écouter. J'aurais pu éclater en sanglots. Rien n'est plus désespérant que le discours de qui joue le bonheur. Pour supporter cette logorrhée qui lui ressemblait si peu et pour avaler le reste de ma pizza quatre fromages, je me resservis de sauce piquante.

– J'espère que vous n'avez pas l'estomac fragile, dit un serveur.

D'un pouce levé, pour faire encore plus jeune que je n'étais, je le rassurai.

– Dis-moi, papa, c'est quoi une vie moderne ?

– Mais c'est une vie pratique, mon fils. Regarde tout autour de toi, cent soixante magasins. Tout ce que tu veux à toute heure du jour et la moitié de la nuit.

– Et l'aviron, papa, ton aviron chéri, rien de moins moderne, ramer, c'est plus vieux que les Grecs, non ? Alors pourquoi t'installer ici ?

Il déglutit. Tout de suite, j'ai regretté ma question. Pourquoi n'être pas entré dans son rêve américain ? Après tout, quand j'étais enfant, il faisait bien mine de s'émerveiller devant mon déguisement de footballeur, chaussures à crampons et maillot bleu et blanc du Racing…

Honte sur moi, je me suis obstiné :

– Mais, papa, comment peux-tu à la fois aimer ton Parly II et passer tellement de temps au bord du Grand Canal de Versailles ?

Il me regarda, perdu. Je me serais arraché la langue. J'aurais tellement voulu ne pas avoir posé cette question grandiloquente, prétentieuse et imbécile. Depuis quand un être humain n'avait plus le droit de se laisser envahir par des émotions contraires ?

– À propos d'aviron, Éric, au Cercle Nautique on me demande de tes nouvelles.

– Et pourquoi donc ?

– Si tu venais plus souvent, tu verrais comme rien n'est plus beau.

– Plus beau que Versailles ?

– Plus beau qu'un bateau bien équilibré. Un long bateau qui glisse sur de l'eau verte.

Un peu d'intelligence finit par me venir. Je laissai passer un long moment et je lui posai la main droite sur le bras. Le serveur de *La Pizza authentique* tournait autour de nous sans oser débarrasser.

– Papa, je comprends. Pardon d'avoir tellement tardé pour comprendre. Je ne suis pas comme mon frère, ton autre fils. Chez moi, les vérités prennent du temps pour arriver. Tu as vécu bien seul dans notre famille, c'est ça ?

Il hocha la tête.

– Ce n'est pas de votre faute. Je ne vous en veux pas. Pas même à ta mère. Vous n'y pouviez rien. Aucune famille ne rame ensemble comme un bon huit.

S'il est une activité pour laquelle Dieu ne m'a doté d'aucun don, peut-être pour me protéger de ma folle curiosité, c'est le maniement des clefs. Les serrures les plus simples me résistent. Après une bonne dizaine de minutes d'essais infructueux, je me tenais là, impuissant, devant l'appartement de mon père (412) lorsque s'entrebâilla, de l'autre côté du palier, la porte du 411. Une tête de femme parut, blonde, la soixantaine bien sonnée.

– Vos petites manœuvres m'ont sortie de ma cuisine.

Je présentai mes excuses. La voisine sortit tout à fait. Sa robe de chambre était bleu pâle. Elle me regardait, manifestement bouleversée.

– Je ne vous connais pas. Avec ce qu'on voit dans les journaux, je devrais avoir peur. Mais vous lui ressemblez tellement...

Elle minaudait.

– Pardonnez ma tenue. Je m'habille de plus en plus tard. Vous êtes son fils aîné ? Quand on vous voit, pas besoin de confirmer ! C'est vous, le nouveau marié, n'est-ce pas ? Il m'a tellement parlé de vous. Oh, surtout ne me donnez pas de mauvaises nouvelles. Un homme si charmant !

– Ne vous inquiétez pas. Il est seulement parti.

– Sans me dire au revoir ?

– Il n'a prévenu personne.

– Vous savez quand il reviendra ?

– Pour vous répondre, il faudrait que je sache où il est.

– Oh, comme il va manquer à notre immeuble ! Ici, nous ne sommes que cinq vieux, vous savez. Mais lui a gardé la grâce.

Elle se saisit de mes clefs. Et l'instant d'après, je me retrouvai dans le 412, cette dame trop serviable sur mes talons. D'un regard aussi doux que possible je lui fis comprendre que je souhaitais demeurer seul.

Elle leva les bras au ciel :

– Je vous laisse, bien sûr, je vous laisse.

Non sans m'avoir fait comprendre que l'endroit ne lui était pas étranger.

– Vous verrez, son appartement reçoit déjà le soleil. Pas comme le mien. Feu mon mari avait mal choisi. Prévenez-moi quand vous l'aurez retrouvé. 01 39 53 75 77. Je suis sûre que vous avez une excellente mémoire. Pas comme votre père. Allez, merci d'avance.

Elle finit par me quitter. En marmonnant trop fort, comme tous les malentendants : « Ce qu'il lui ressemble ! En moins beau, d'accord. Mais pas moyen de s'y tromper. »

On ne pouvait ignorer la passion de mon père pour l'Aviron. Sur tous les murs, des fanions. Morceaux de rames (je me souvins que le terme technique est « pelles »). Photos de régates et de remises de prix. Articles soigneusement encadrés de *L'Équipe* et de *Toutes les nouvelles de Versailles*. « Fidèle à sa réputation, le CNV était au rendez-vous », « Trois titres de champion de France, le président Arnoult satisfait ».

Mon père ne lisait plus que ces deux journaux. Ils avaient tant bien que mal comblé le vide laissé par la disparition de *L'Intransigeant*.

*
* *

Je suis passé devant la bibliothèque, sans oublier de caresser du doigt le dos de mes anges gardiens.

Un été, bien avant celui que nous allions passer ensemble après notre divorce commun, mon père me voyait errer l'âme en peine dans notre île de Bréhat pourtant si chérie. Je restais enfermé, je n'avais goût à rien, je refusais tout, même les sorties en mer sur le voilier *420* de notre champion local Christian Saglio.

Mon père vint frapper à la porte de ma retraite, l'ancienne étable qu'un charpentier prénommé Abel commençait à métamorphoser en charmante maisonnette :

— Mon fils, que se passe-t-il ?

De surprise qu'il se préoccupe de moi, je lui dis la raison de mon désespoir :

— Je suis né trop tard.

— Qu'est-ce que tu racontes ?

— Justement, c'est le problème.

Me voyant passionné de lecture, mon professeur de lettres m'avait conseillé un livre. Un livre qui allait, disait-il, révolutionner la littérature.

— Et alors, mon fils ?

— Ce livre m'a dévasté.

— Comment un livre peut-il dévaster ?

— Je l'ai apporté. Tu comprendras.

Trois heures plus tard il revenait, brandissant le petit ouvrage vert.

— Ridicule ! Je vais écrire à ces gens-là. On ne va pas se laisser faire. Ils s'attaquent à notre famille.

Ce livre était le manifeste pour un Nouveau Roman. Finies les histoires, alliées du système capitaliste. Adieu, les personnages, incarnations évidentes de la bourgeoisie. Bonne nouvelle : après avoir longtemps agonisé, le roman était mort. Des « textes » allaient le remplacer. Des

« textes » dégagés de tout. Des « textes » qui, dans l'idéal, devraient traiter du « Rien ».

– Papa, que vais-je devenir ?
J'avais quinze ans.
– Attends trois jours. Je vais te fournir l'antidote à ce poison !
Il s'est arrangé avec sa sœur Nicole, par ailleurs ma marraine, bénie soit-elle. À peine arrivée dans l'île, elle a couru nous apporter les antidotes.
J'ai demandé :
– Par lequel tu commences ?
– Il n'y a pas d'ordre. Mais je te promets. Avant la fin des vacances, tu es guéri.
J'ai enchaîné.
Le Partage des eaux (Alejo Carpentier) et *Paradiso* (Lezama Lima).
Avant même de commencer le troisième, *Cent ans de solitude*, mon père avait raison : j'étais guéri.
Le Nouveau Roman pouvait théoriser ce qu'il voulait, j'étais immunisé.

Sur le bateau du retour, vers l'Arcouest, j'ai rendu à mon père les fameux antidotes.
– Tu avais raison : je vais beaucoup mieux. Il n'y a qu'un problème. Je ne suis pas latino-américain.
– Et alors ?

158

– Comment veux-tu que je devienne romancier latino-américain ?

– Eh bien, justement. Tu es latino. Par mon
père, ton grand-père. Il est fils et petit-fils. Et
arrière-petit-fils de Cubain. Ça te suffit ?

– Ça me suffit ! Si... tu me dis la vérité. Je
croyais que notre origine cubaine était une
légende.

– Notre famille a des tas de défauts. Mais
chez nous les légendes sont vraies.

*

* *

Via un corridor lui aussi peuplé par l'Aviron,
j'ai gagné le bureau minuscule.

Sur la table de bois trônait un cube blanc, objet
de musée, premier ordinateur d'Apple, par ailleurs illustration parfaite des relations, toujours
en deux temps, de mon père avec la vie. Premier
temps : la curiosité. Très tôt, il s'était intéressé
à l'informatique, il avait donc acheté ce quasi-
prototype. Second temps : la peur. Attention,
attention, ce nouvel univers est dangereux. Je
garde donc mon vieil ordinateur : il a déjà bien
assez de pouvoirs.

Devant les trois tiroirs, j'ai hésité. Avais-je le
droit de pénétrer dans l'intimité de mon père ?
Sa fin venue, il faudrait bien trier ses affaires.
Mais selon toute probabilité, il était encore

vivant. Le fait de se comporter comme s'il était mort n'allait-il pas rompre ce fragile équilibre qu'est la vie ?

Vous voulez dire qu'en commettant cette indiscrétion, vous redoutiez de précipiter le décès de votre père ? Exactement. Comme si ces tiroirs étaient reliés à une bombe qui, à l'autre bout de la planète, où que mon père ait choisi de s'installer, lui exploserait au visage.

J'ai commencé par le tiroir du bas, selon moi le moins dangereux, le moins proche du détonateur. Je ne m'étais pas trompé. Attendaient sagement, assoupis comme des chiens au coin du feu, le dossier rouge Santé, le dossier bleu Retraite, le dossier vert Impôts-factures.

Tiroir du milieu : dernières nouvelles de la Fédération française d'aviron.

Nous avancions en importance. Avouons que je ne me suis pas attardé. J'en avais ma claque de ces affaires de rameurs.

Restait le premier tiroir, le plus proche du cœur. Chacun de ses enfants avait droit à un dossier. Un pour ma sœur : souvenir de ses brillantes études en Grèce (cartes postales d'Athènes, façade de l'université de Pandios), message de félicitations de son directeur quand elle travaillait à *Europ Assistance* « Sans vous, sans votre réactivité, jamais nous n'aurions réussi, en temps utile, ce rapatriement. Et une vie aurait été perdue », photos de ses quatre enfants à différents âges, et leurs lettres d'amour à leur grand-père.

Un dossier pour mon frère : la photocopie de son diplôme de médecin, un exemplaire de sa thèse : *Traumatisme transgénérationnel de la Grande Guerre. Un exemple : l'angoisse d'ensevelissement.* Et dans une enveloppe une photo. Le visage de sa femme est à nul autre pareil : il est allongé, à la Greco, mais au-dessus de ses hautes pommettes rient des yeux très bleus. En même temps, elle a quelque chose de chinois. Mon frère vient de s'approcher par-derrière. Il l'embrasse. On voit leurs bras. Ils s'aiment. Oui, cette femme et leur amour sont à nul autre pareil. Oh, comme je les aime de s'aimer ainsi. Je comprends que mon père garde et cache cette belle image. Elle fait envie et honte à tous ceux qui, comme nous, n'ont jamais su aimer.

Et moi ?

Il y avait bien un dossier à mon nom. Mais vide. Il pendouillait inutile sur son berceau de ferraille. Je vous assure que le vieil ordinateur, le papy Apple, m'a jeté un coup d'œil plein de pitié.

À mieux regarder, j'ai découvert, dans le dossier que je croyais vide, une chemise violette contenant une, deux, trois... six chemises orange, vides, elles aussi. Sur la couverture de chacune était inscrit un prénom. Le prénom de celles qui avaient tenté de partager ma vie et que mon père, chaque fois, avait, de toute sa capacité d'espérance, aimées. Et d'abord Catherine, la mère de mes enfants. Il répétait à tout le monde : « Treize ans, vous vous rendez compte, ça dure depuis treize ans ! Il faut dire que prof de droit et peintre, elle a tout pour le retenir. » Et puis une autre folie m'avait pris.

J'ai toujours respecté la méticulosité de mon père. J'ai remis les sous-chemises orange vides mais prénommées dans la chemise violette vide.

Il avait dû considérer, délicat comme il est, que ce serait me trahir que conserver des souvenirs de mes anciennes vies alors que je venais de m'engager dans une nouvelle.

C'est alors que j'ai vu la photo épinglée au-dessus du bureau, une photo toute récente puisque datant de mon mariage avec Isabelle. Dans le coin sud-ouest, il y avait collé un Post-it rose avec, griffonnés de son écriture illisible, ces quelques mots insupportables mais réalistes : prions que ce soit la bonne !

Je suis revenu dans le salon.

Une grande enveloppe m'attendait, posée sur la commode de marine.

Comment avions-nous pu ne pas la voir, mon frère et moi, lors de notre première visite ?

À cause de son titre ? Car c'était bien un titre qui s'étalait en grosses lettres solennelles sur le papier kraft : GÉNÉALOGIE.

Un moment, après avoir ouvert, j'ai cru que cette GÉNÉALOGIE était vide et que notre père avait voulu se moquer de nous.

Et puis mes doigts, en cherchant bien, ont fini par trouver une feuille, un certificat de baptême.

Mes yeux allaient, venaient sur le certificat, sans doute découvert par la jeune amie de mon père, la thésarde Agnès Renault. Et mon cœur battait de plus en plus vite. Allais-je mourir, là, dans l'appartement de Parly II (résidence Las Cases), le lendemain de mon mariage ?

Peu à peu, j'ai raisonné mon hypocondrie. Ne m'est restée que l'émotion. De ce document il résultait... sans contestation possible et la faute d'orthographe oubliée (ARNOULB pour ARNOULT),

Premièrement

Que mon arrière-grand-père paternel, Bernardo Agustín, était né à Cuba le 20 mai 1860 ;

Deuxièmement

Que ses parents se nommaient Augusto ARNOULT et Matilde TAYLOR, originaires de Santiago (de Cuba) ;

DIÓCESIS DE CIENFUEGOS

CERTIFICACIÓN DE BAUTISMO

PARROQUIA DE

La Santísima Trinidad

LIBRO B-21

FOLIO 380

NÚMERO 657

NOTAS MARGINALES:

No constan

PBRO Fr. Antonio Bendito, o.p.

CURA Párroco

DE La Santísima Trinidad

CERTIFICO

Que según consta en el correspondiente libro, se encuentra asentada la siguiente partida cuyos datos esenciales son:

NOMBRE: BERNARDO AGUSTIN

Fecha de bautizo 6 de julio de 1860

Fecha de nacimiento 20 de mayo de 1860

Hijo de Augusto Arnoulb y Matilde Taylor

Naturales de Francia y Santiago de Cuba

Abuelos paternos Agustín Arnoulb y Magdalena Kenay

Abuelos maternos Rafael Taylor y Josefa Monsifut

Padrino: José González Villademoros

Madrina: Matilde Arnoulb

Ministro del Sacramento P. José Estanislao Zerquera

Expedido a petición de la parte interesada, para que conste lo firmo.

27 de febrero de 2005

PARROQUIA DE "LA SANTÍSIMA TRINIDAD"
TRINIDAD
DIÓCESIS DE CIENFUEGOS

Firma del Presbítero

Troisièmement

Que le père d'Augusto ARNOULT s'appelait Agustín ARNOULT, celui-là même dont mon père m'avait raconté l'histoire.

Conclusion

Mon père avait peut-être enjolivé l'histoire familiale, IL NE M'AVAIT PAS MENTI.

Le téléphone fixe a sonné. Une boîte grise à l'ancienne posée sur une pile de bottins des Yvelines.

En décrochant, je me rappelai ce que me répétait Patrick Modiano : on trouve tout dans les vieux bottins. Il insistait sur *tout*. Mais qu'est-ce que « tout » pour Modiano ?

Au bout du fil, Françoise, la compagne de mon père. Une scientifique bienveillante et enjouée. L'ayant connue dans les milieux de l'aviron, il pouvait lui parler des heures de huit, de quatre et de double scull sans qu'elle manifeste le moindre signe d'ennui.

— Ta sœur m'a prévenue. Ne vous inquiétez pas. Souvent, il va se promener dans le supermarché.

— Même un fou de Parly II comme lui devrait être déjà revenu. Il n'avait pas prévu un déplacement ?

– Oh, il ne me dit pas tout ! Va voir dans le placard entre les deux chambres. C'est là qu'il range ses valises.

Je revins au bout d'une minute :

– Je me souviens. N'avait-il pas acheté une grosse *Samsonite* à quatre roulettes ?

– Exactement. Pour le jour où il ferait le tour du monde.

– Eh bien son tour du monde est commencé.

C'est alors que j'aurais dû comprendre. Françoise a mal joué la surprise. Son « mais ce n'est pas possible » manquait de conviction. C'est l'avantage, ou l'inconvénient, avec les scientifiques : ils ne savent pas bien mentir. Idiot que je suis, je l'ai rassurée. Les *Samsonite* à quatre roulettes ont bien d'autres utilités que partir sans préavis pour Hawaï ou les Tuamotu.

– Le premier qui reçoit des nouvelles prévient l'autre.

– Bien sûr, Françoise.

– Pauvre Éric, je pense à votre mariage. Il va s'en trouver perturbé.

– Je vous avouerai qu'à l'instant présent, ce n'est pas ma priorité.

– C'est bien ce que je vous disais.

Une femme vraiment inquiète aurait-elle pu raisonner ainsi ? On ne sait jamais avec les scientifiques. Nous avons raccroché ensemble.

Tout le temps que j'avais passé chez mon père, la voisine avait dû demeurer l'oreille contre sa porte. Car je n'avais pas posé le pied sur le paillasson du palier que la lumière s'alluma et que parut la voisine. Elle s'était pomponnée, brushing, boucles d'oreilles, robe à fleurs, effluve de vétiver.

– Alors, il a laissé un message ?

J'ai menti.

– On m'a téléphoné. On m'assure qu'il va bien.

Elle battit des mains, comme une jeune fille.

– J'en étais certaine. Vous l'auriez vu avant-hier après-midi ! Pas plus guilleret que cet homme-là, quand il est parti pour votre cérémonie de mariage. « Madame Jacquemot, cette fois, je suis confiant. Mon aîné va enfin réussir son mariage. Comme son frère et sa sœur sont déjà heureux en ménage, je pourrai mourir tranquille. »

J'ai salué la voisine, avec déférence, je vous jure. Mais plutôt qu'attendre l'ascenseur en sa babillante compagnie, je me suis rué dans l'escalier.

Penchée sur la rambarde, elle a suivi ma descente. Comme toutes les vieilles personnes un peu sourdes, elle parlait fort. Et la voûte résonnait.

« Quand vous le verrez, dites-lui bien des choses de ma part. Et aussi de revenir vite. Il manque à la résidence Las Cases. »

Ses vœux m'ont suivi d'étage en étage jusqu'en bas. Miroir, pur marbre, interphone... la qualité Parly II !

Pour le reste de la famille, cette disparition de mon père demeurait un mystère. Alors que rien, pour moi, ne pouvait mieux s'expliquer.

Il voulait rompre la malédiction familiale. Il voulait en finir, une bonne fois pour toutes, avec la si néfaste influence cubaine. Il s'était éloigné pour donner toute sa chance à mon nouvel amour. Je saluais et j'approuvais sa décision.

Mais comme il me manquait !

Trois mois déjà que je n'avais pas embrassé son si beau front de Clark Gable. Trois mois déjà que nous n'avions pas échangé un mot. Et plusieurs années que j'attendais la suite des aventures du tailleur Aogoustine, le timide amoureux des femmes, par ailleurs notre ancêtre commun. J'étais certain que mon père ne m'avait pas tout dit. Un père dont je savais maintenant qu'il ne mentait pas (pas complètement).

*
  * *

Et il fallait au plus vite que nous recommencions à parler d'amour, lui et moi.

Au secours, papa ! Mon mariage battait de l'aile. Isabelle et moi n'arrêtions pas de nous déchirer. Aucune confiance n'était née entre nous. Une peur perpétuelle et réciproque la rongeait. Et pourtant l'origine de notre amour demeurait, intacte, cette mystérieuse nécessité d'être l'un à l'autre. Une origine sans doute venue de notre passion commune pour l'Afrique. Ou de notre passion commune pour le Savoir. Ou de notre passion commune pour la Liberté. Ou de toutes ces passions réunies. Et de l'accord, grain par grain, de nos deux peaux. Nous la sentions en nous, incontestable, cette origine. Parfois très proche, il suffirait d'un rien pour y acquiescer. Parfois lointaine, imperceptible, à deux doigts de disparaître, à jamais.

Mon père avait raison : de mauvais débuts pouvaient tuer l'origine la plus solide.

Et aucun des débuts de tous mes mariages n'avait été plus calamiteux.

Alors, mon père, que puis-je faire maintenant ?

Personne mieux que toi ne s'y connaît en échecs amoureux...

Le premier des premiers dimanches du mois depuis son absence, je me suis préparé.

– Où vas-tu ? m'a demandé ma femme.

– Tu sais bien, La Flottille.

Elle a haussé les épaules.

– Mon pauvre ami ! Tu as oublié. Mais ton tuteur n'est plus là. Tu vas devoir grandir seul. Si tu en as la capacité.

C'est pour vous dire qu'Isabelle n'a jamais manqué d'intelligence.

Pour la douceur, la gentillesse, la bienveillance, mes amis me répétaient que j'aurais pu trouver mieux. Ils ne savaient pas, ou ne voulaient pas savoir, que moi aussi j'avais ma part dans la violence du climat.

*
* *

Souvent, j'appelais Françoise. Une conversation réduite au minimum. Fidèle lectrice de *Science et Vie*, avertie des derniers progrès de la technologie, elle devait craindre que j'aie choisi dans le dernier Samsung l'option détecteur de mensonges.

– Alors, pas de nouvelles ?

– Aucune !

– On se prévient dès que…

– Bien sûr !

– Bonne journée, Françoise.

Elle ne répondait jamais. Je ne raccrochais pas tout de suite pour entendre son soupir, un soupir contenu, sobre et digne. Et elle raccrochait.

Pourquoi ai-je été dupe si longtemps ? Moi, un professionnel du vrai-faux, élevé par les Eudistes, éduqué par François Mitterrand et par ailleurs romancier... Pourquoi ma naïveté ? À cause de ce chef-d'œuvre de soupir ?

Toujours est-il qu'un dimanche plus vide que les autres un soupçon s'est faufilé entre les lignes du roman malien que j'essayais d'écrire (*Madame Bâ*). Et si Françoise mentait ? Le soupçon n'est pas resté longtemps soupçon. L'instant d'après, il s'était fait certitude. Et voici le dialogue que j'ai entendu dans ma tête : Bien sûr, idiot que je suis, Françoise me ment. Enfin, tu sais bien, à ton âge, ou tu devrais savoir, imbécile ! qu'une femme amoureuse est prête à tout pour venir en aide à son homme. Même si c'est une femme honnête comme Françoise ? Même ! Même si c'est une femme scientifique ? Même ! Et je te rappelle que Françoise est docteur en biologie. Tu n'as qu'une seule question à te poser : Françoise est-elle folle de ton père ? Oui ! Donc elle vous roule dans la farine ? Tous. Et depuis le début. Elle sait parfaitement où le cher disparu s'est installé.

À l'instant, j'ai laissé tomber mon roman malien, mon crayon, ma gomme, mon bloc

Rhodia Noir 14,8 × 21 et j'ai commencé ma filature. Depuis le temps que je voulais entrer dans la police…

Je n'en ai bien sûr rien dit à mon frère. Il n'aurait pu s'empêcher d'interpréter – et seul Freud sait de quelle manière – cette troublante entreprise d'un fils collant au train la compagne de son père.

Pas un mot non plus à ma sœur. Elle avait beau se montrer toujours accueillante. Et bienveillante. Je savais qu'elle n'en pouvait plus de mes amours ratées. Et quel mauvais exemple je donnais à ses quatre enfants ! Oh, comme je regrettais qu'elle ne travaille plus chez *Europ Assistance* ! Elle se serait comme personne chargée de mon rapatriement. Mais *Europ Assistance* se chargera-t-elle des urgences amoureuses ? Et vers quel pays rapatrier un désespéré du sentiment ?

Peut-être ne connaissez-vous pas la coquette localité de Gif-sur-Yvette, 20 000 habitants, nord-ouest du département de l'Essonne ?

Si l'endroit ne manque pas d'agrément, je ne le recommande pas aux enquêteurs débutants : dans cet univers de pavillons où tout le monde se ressemble (familles tranquilles, trois à cinq enfants, religion très majoritairement catholique, niveau éducatif moyen des parents : bac + 4), quelqu'un qui guette trop sensiblement la porte d'une Françoise se fait vite repérer puis embarquer par une police municipale forcément très active (puisque la sécurité était, n'est-ce pas ?, au cœur du dernier combat électoral pour la conquête de la mairie).

Heureusement *Le Canapé*, place de l'Église, m'accueillit avec chaleur. Ce bar-restaurant présente l'avantage d'offrir à ses clients une bonne vue sur de nombreuses habitations, dont celle de la scientifique-menteuse-amoureuse.

Et, à condition de renouveler fréquemment votre consommation, le patron ne s'inquiétera jamais des raisons de votre présence, même longuette, dans son établissement.

Enfin sortit la *208* grise de Françoise.

J'avais loué une *Saxo* blanche de peur que ma *Golf* noire ne soit trop facilement reconnue.

Et, l'un derrière l'autre, nous voilà partis.

Je n'avais aucune idée de la direction que nous allions prendre. Et la tachycardie, avec extrasystoles, qui m'est venue, un esprit mal averti aurait pu en attribuer la cause à l'excitation de cette filature…

Alors que mon père en était le seul responsable. Selon toute vraisemblance j'allais bientôt le retrouver, nous reprendrions nos interminables conversations. Moi aussi je me rendais à un rendez-vous d'amour. Dans ces conditions, quoi de plus normal que d'éprouver de l'émotion ?

Françoise roulait à belle allure, mais je tenais facilement la distance.

Après le péage de Saint-Arnoult, nous avons comme prévu obliqué vers l'ouest, direction la Bretagne. J'ai tenté de deviner chez quel cousin mon père avait trouvé refuge. Mais, juste avant Le Mans, Françoise a continué plein sud. Je me torturai quelque temps la mémoire. Qui connaissions-nous dans la région d'Angers ? Et puis je m'abandonnai aux délices de la surprise. On ne sait pas tout des êtres. Pourquoi mon père m'aurait-il tout dit de lui ? Même s'il m'avait déjà beaucoup avoué ?

Je suivais Françoise qui suivait la voiture devant elle. Rien n'est plus muet qu'un voyage sur l'autoroute. On roule entre des glissières, séparés de la campagne, séparés des villes et des villages que l'on contourne, séparés par un haut grillage des animaux de la forêt, séparés des rivières puisqu'on les franchit par des ponts aveuglés par des rambardes, séparés de restaurants dignes de ce nom, séparés des brusques odeurs de foin coupé, bref séparés de tout ce qui fait l'agrément du voyage et prisonniers de la seule destination, sans d'ailleurs savoir laquelle, pour ce qui me concernait. Je commençais à m'ennuyer ferme. L'ennui me vient tout de suite quand la vie cesse de me raconter des histoires. Et avec l'ennui vient l'angoisse tant je suis convaincu qu'il est mauvais, terrible même, pour la santé. Qu'est-ce que je fais là, dans ma grotesque *Saxo* d'occasion, à filer la femme de mon père ?

Peut-être serais-je mort au volant, terrassé par l'ennui autoroutier, si Françoise, sans doute alertée par mon état critique, n'avait décidé de quitter ce corridor du silence.

Ancenis n'est pourtant pas la plus belle ville du monde, ni la plus intéressante.

Mais, sitôt quitté l'autoroute, les paysages ont recommencé à s'exprimer.

Et peu à peu la mémoire m'est revenue par bribes. Comme les morceaux d'un puzzle encore trop séparés les uns des autres pour que la scène apparaisse.

À quelle occasion étais-je venu dans cette région et à quel âge de ma vie ?

Soudain, sur un panneau, le nom d'une ville parut.

Cholet.

Le brouillard d'un coup se dissipa.

Cholet, capitale du mouchoir.

Cholet, domicile d'une famille avec laquelle j'aurais tant voulu vivre.

*
* *

175

Dans des circonstances que j'ignore mais qu'il me faudra bien, un jour, retrouver si, avant de mourir, je veux réunir tous les morceaux de ma vie, mon grand-père Jean, celui qui n'aimait pas travailler, était devenu l'ami de Charles Morellet.

Ce jeune et brillant sous-préfet de Chinon avait vu sa carrière de fonctionnaire brisée par le goût immodéré qu'il avait pour le contrepet. Pour ceux qui l'ignoreraient, cette activité consiste à intervertir des lettres ou des syllabes d'un ensemble de mots afin d'en obtenir d'autres dont l'assemblage ait également un sens, de préférence grivois. Rabelais en raffolait. On lui doit cette perle : « Une femme folle de la messe ».

Pour en revenir au sous-préfet, la légende veut que, recevant un jour le ministre de l'Intérieur, son patron direct, il n'ait pu résister à son penchant. Plusieurs fois il aurait répété, pour que tout le monde comprenne : « présentes élections ». Un fou rire aurait peu à peu gagné la salle des fêtes.

Le même soir, il était révoqué.

Par chance sa famille possédait une usine. Il la reprit. Et, toujours contrepétant, il passa le reste de son âge à fabriquer des voitures d'enfants.

Est-ce le goût des mots qui l'avait rapproché de mon grand-père ? Lequel les adorait. Un exemple ? Un cousin de sa femme portant le nom de Faucon, il ne l'avait jamais appelé que Trop Modeste.

Ce Charles était le plus généreux des hommes. Lorsque son ami, mon grand-père, connut « quelques soucis d'affaires » suite à la crise de 29 (peut-être aussi à cause de son manque certain d'intérêt pour les agitations profession-nelles), l'ex-sous-préfet accueillit son plus jeune fils (six ans) chez lui et l'éleva comme le sien.

Voilà pourquoi, voilà comment mon père passa toute sa jeunesse dans la bonne ville de Cholet, en totale fraternité avec le futur peintre François Morellet.

Moi aussi, comme mon père, j'aimais cette famille plus que la mienne. François avait épousé Danielle, une pianiste de Nantes, aussi menue que ma mère, aussi brune que ma mère était blonde et aussi jolies toutes les deux. Mais chez eux, on riait beaucoup plus grâce à leurs amis « artistes ».

Fous de pêche sous-marine, ils parcouraient le monde pour aller traquer mérous et barracudas. Mais le plus séduisant chez eux était leur perro-quet. Il accueillait tous les visiteurs de la même voix roucoulante : *Papaguay, rrrou rrou, puta merda, puta merda.*

Un jour, j'avais sept ans, à peine plus vieux que mon père lorsque Charles Morellet lui avait ouvert les bras, j'ai profité de l'absence de mes parents pour m'avancer, l'air solennel, vers Danielle et François :

— Qu'est-ce qui se passe, Éric ? Tu ne vas pas bien ? Viens que je voie si tu as de la fièvre.

Je refusai ce câlin. Pourtant, comme j'aimais Danielle !

— Voilà, j'ai décidé.

— Et quelle est cette décision qui te rend si grave ?

— Je quitte ma famille.

— Allons donc. Et où iras-tu ?

— Chez vous. Puisque vous allez m'adopter.

Ils m'ont pris au sérieux. Nous avons discuté longtemps. Et avec l'aide du perroquet, *puta merda, puta merda,* je suis revenu chez mes géniteurs.

Depuis cette scène, et ma proposition si gentiment refusée mais refusée quand même, j'ai le souvenir que jamais nous n'étions retournés à Cholet. Soit que, dans leur bienveillance infinie, semblable à celle du sous-préfet Charles, les Morellet aient veillé à ne pas raviver mes regrets. Soit que mes parents aient senti le vent du boulet et décidé de m'éviter à l'avenir ce genre de tentations (mais je ne crois guère à cette seconde hypothèse).

Au fur et à mesure que nous approchions, Françoise accélérait. Mon père avait dû lui raconter ses courses automobiles du temps de sa jeunesse.

Une fois dans la ville, aucune hésitation. Cholet n'avait pas de secret pour elle. On sentait l'habituée, l'invitée fréquente. Pour quelle raison, d'après vous, suivait-elle depuis deux ans un cycle de l'École du Louvre sur « Les nouvelles directions de l'art contemporain » ? Une bonne élève de son espèce n'aurait jamais accepté d'être reçue par les Morellet en ignorant tout de leur activité.

Peu à peu je reconnaissais l'avenue, la rue qui descend, les hauts murs sur la gauche, les grilles ouvertes.

J'ai laissé Françoise s'engager. J'ai poursuivi. Je ne voulais pas qu'elle comprenne que je l'avais suivie. Je trouverais bien où coucher. La capitale du mouchoir s'enorgueillissait forcément d'un *Novotel*. J'appellerais plus tard.

*
* *

Comme toujours, c'est Danielle qui a répondu.
– Tu nous as bien fait rire.
Je ne comprenais pas.
– Françoise nous a raconté ta filature. Quelle drôle d'idée, une *Saxo* ! L'essentiel, c'est que tu gardes ta jeunesse. Et ta nouvelle femme ? Tu nous la présentes quand ?
À bientôt quatre-vingt-dix ans, Danielle conservait dans la voix une gaieté presque

enfantine. J'aurais tant voulu l'entendre jouer Ravel, son musicien préféré, et d'abord *Ma mère l'Oye.*

Mais quand je suis arrivé dans sa vie, elle avait déjà abandonné le piano pour ne s'occuper que de son tout jeune mari.

Au bout du fil, j'attendais, j'attendais, et Danielle ne m'avait toujours pas prié, ordonné de passer les voir au plus vite.

– Papa va bien ?

– Oh, tu sais... Du moment qu'il peut évoquer des heures et des heures le passé avec son François... De temps en temps j'écoute. Il n'y en a que pour Charles.

– Pardon mais... il parle un peu de moi ?

– Mais sans arrêt ! Depuis des années et des années tu sais bien qu'il se désole à ton sujet. Mon Éric réussit pas mal de choses. Mais manque tous ses mariages. C'est pour cela qu'il faudrait qu'au plus vite tu nous présentes Isabelle. Il paraît qu'avec celle-là tu as enfin trouvé le bonheur. En tout cas la paix. Oh, ce que je suis heureuse !

Je me lançai :

– Bon, il y a une place pour moi au déjeuner ?

– Tu sais comme nous en serions heureux !

– À quelle heure voulez-vous ?

– Ton père nous a bien recommandé : aucun contact avec Éric. Pas même au téléphone.

– Quelle est cette folie ?

– Nous n'y pouvons rien. Ce sont ses ordres.

Et Danielle ajouta :

– Il nous a brièvement expliqué. C'est pour ton bien.

Elle avait prononcé cette même phrase, exactement les mêmes quatre mots, « c'est pour ton bien », lorsque François et elle m'avaient gentiment mais fermement, avec la plus gentille des fermetés possibles, renvoyé dans mes foyers Arnoult.

La différence est que, cette fois, je n'avais plus cinq ans mais cinquante-cinq de plus. Je n'allais pas céder sans combattre :

– Un père ne veut plus voir son fils ! Et il prétend que c'est pour son bien !

Un silence me répondit. N'oubliez pas que Danielle est une ancienne pianiste. Même si, depuis longtemps, on ne joue plus de notes, on garde en soi le rythme, la cadence et donc le sens du silence.

Grâce à lui, je me suis calmé.

– Et il vous a donné une raison ?

– Une histoire obscure de malédiction cubaine. Il est aussi question de princesses prisonnières. Il paraîtrait qu'il a découvert la raison pour laquelle lui et toi manquez vos amours. Il y aurait un gène en vous, le gène comment dit-il ? Oui, le gène des amours impossibles. Il veut en finir avec cette transmission. Pour tout t'avouer, quand il s'est lancé dans ces explications, nous nous sommes regardés avec François : notre si

181

cher Claude ne perdrait-il pas un peu la tête ?
Heureusement que Françoise est arrivée. Elle a
éclairé nos lanternes avec patience, méthode et
clarté, comme à son habitude.

– Et quand acceptera-t-il de me revoir ?

– Oh, il n'a pas fixé de date ! Tu sais qu'il
est chez lui chez nous. Il attendra tout le temps
qu'il faut pour que ton amour avec Isabelle se
consolide. Il a confiance en elle. Il voudrait tant
que cette fois tu réussisses ! Bon, on se revoit
quand ? Ne tarde pas ! Nous ne sommes plus
si jeunes !

J'ai raccroché. S'ensuivit une nuit plutôt
bonne dans le *Novotel* de Cholet, que je vous
recommande.

*
* *

Et le lendemain nous sommes repartis, tout
penauds, ma *Saxo* de location et moi.

Mais cette fois, pas question d'autoroute !
Pas question de corridor du silence. J'avais trop
besoin de paysages qui me parlent.

Et qui, mieux que Julien Gracq, donne plus la
parole aux paysages ?

Puisque mon père ne voulait plus de moi, l'idée
me vint tout naturellement d'aller saluer Julien
Gracq. Au fond je lui devais aussi la moitié de

moi-même puisque c'est lui qui m'avait donné mon nom d'écrivain.

« J'appartiens à l'une des plus vieilles familles d'Orsenna », la première phrase de son roman *Le Rivage des Syrtes*.

Je venais d'avoir vingt-cinq ans et de soutenir une thèse d'économie sur « l'offre de monnaie en économie ouverte ». Comme j'écrivais de petits romans par ailleurs, le professeur Raymond Barre, président du jury, m'avait conseillé de me choisir un pseudonyme : « Il ne faut pas mélanger la science et l'imagination. Même si pour vous la séparation sera toujours difficile. »

Sans vergogne, j'avais écrit à Gracq. Je croyais qu'on pouvait piller les écrivains qu'on aimait.

« Bonjour, Monsieur,

La vive admiration que je vous porte m'autorise peut-être à vous demander la permission d'utiliser comme pseudonyme l'appellation choisie par vous pour la ville de votre roman mythique. »

Comme on peut le constater, j'étais encore plus alambiqué qu'impudent.

Surprise le surlendemain en ouvrant le courrier. Julien Gracq m'avait répondu, Julien Gracq lui-même, de son écriture minuscule et pourtant lisible :

« Monsieur,

Touché par votre requête, j'y fais droit bien volontiers. Et voyons ce que va devenir ma cité de papier une fois devenue écrivain. Au fond, c'est un juste retour des choses. J'ai engendré une ville qui à son tour engendre un jeune collègue. Bonne installation sous ces trois syllabes. Bien à vous ! »

Rencontrer Julien Gracq !
Une fois de plus, le cœur me battait.
Une fois de plus, il faudrait lutter. Et ravaler ma déconvenue. Comme d'habitude, Julien Gracq voudrait apprendre de moi les dernières nouvelles de l'actualité, avec une préférence gourmande pour les cancans : Confirmez-vous que Laurent Fabius appelle François Hollande « fraise des bois » ? Est-il vrai que Jacques Chirac éprouve un vrai penchant pour la députée socialiste d'Uzerche ?
Lors de nos premières rencontres, cette curiosité m'avait sidéré.
– Suis-je bien en face du Grand Écrivain ? Un sosie ne l'a-t-il pas remplacé ?
Moi qui aurais tant voulu l'entendre me parler de Sartre, d'Aragon, d'André Breton, de Georges Bataille, ces légendes qu'il avait si bien connues. Je l'attendais aussi sur la géographie, sa vision de la forme des villes, pourquoi pas la formation géologique de la France ?
François Mitterrand m'avait raconté avoir éprouvé la même désillusion avec Saint-John Perse. Chaque fois qu'il était venu le rencontrer

dans sa presqu'île de Hyères, il espérait entendre le Poète lui parler de Homère, de Pindare, de la philosophie implicite incluse dans la métrique. Et chaque fois, à la demande expresse et gourmande du Prix Nobel, il avait dû détailler les derniers résultats des cantonales dans le Nivernais ou les divisions lancinantes du Parti radical valoisien.

J'avais tellement de questions sérieuses à lui poser. Surtout avec tous ces gens qui m'enviaient :

– Comment tu connais Gracq ? Ah oui, c'est vrai, avec ce nom que tu lui as volé ! Et alors, sa conversation ? Il enchante ? J'en étais sûr. Je ne t'ai jamais vraiment jalousé mais là… Je te hais.

Hélas, je savais bien, malgré sa parfaite courtoisie, que je n'étais à ses yeux qu'une récréation, un chroniqueur mondain, un Parisien venu lui apporter le vent frivole de la capitale.

Ce jour-là, Julien Gracq m'attendait sur le pas de sa porte, 3, rue du Grenier-à-Sel.

– Je ne sais pas pourquoi, j'étais certain que vous arriveriez en avance.

J'ai tout de suite compris qu'il voulait aborder des sujets bien plus graves que ceux qui nous occupaient d'ordinaire. Peut-être parce qu'il avait deviné, avec son attentive gentillesse habituelle, que je n'étais pas d'humeur à commenter les déchirures au sein du parti écologiste ? Peut-être que des préoccupations plus sérieuses l'habitaient ?

185

Sans attendre nous avons rejoint notre table habituelle à l'*Hostellerie de la Gabelle*. À ma vive émotion il avait posé sa main droite sur mon bras. Les pavés sont glissants le long de la Loire. Et la violence du courant, en ce début d'avril, n'était pas faite pour rassurer. Un mot m'est venu que j'ai bien sûr gardé pour moi. Fragilité. Marchait à mes côtés et s'appuyant sur moi un vieil homme fragile, en même temps que Grand Écrivain. Que peut la Grande Écriture contre la fragilité ? D'ailleurs moi aussi je m'appuyais sur lui : Le Grand Écrivain m'avait donné pour nom celui de sa ville mythique.

À peine les commandes passées, je me souviens des écrevisses et du Savennières (Domaine Émile Benon), Julien Gracq a commencé :

– Vous savez quel fut le bouleversement de ma vie ?

– Le surréalisme ?

– Il aurait pu.

– Le communisme ?

– Non plus.

– La guerre mondiale.

– Bien sûr. Mais au-delà ? Je veux dire en dessous ?

En souriant je donnai ma langue au chat.

Combien de fois étais-je venu rendre visite à Julien Gracq à Saint-Florent ? Au moins vingt. Et il allait enfin me parler.

– Toutes mes études de géographie ont reposé sur un principe simple et rassurant : la stabilité de notre Terre. Quelques volcans de temps à autre en perçaient la croûte. Mais pas de quoi s'inquiéter. Seule la mer était mouvante. On entendait bien parler, parfois, d'une approche différente mais personne n'y prêtait attention. Et puis voilà qu'à peine avais-je reçu mon diplôme, et sans aucun doute pour se moquer de ma suffisance, on m'annonçait que, tout bien considéré, les continents eux aussi dérivaient. L'approche par la tectonique des plaques était validée. Vous avez navigué jusqu'à l'Antarctique, n'est-ce pas ? L'histoire de ce continent est de celles que vous aimez : lente et triste. Lorsqu'il y a trois cent millions d'années se disloque le continent unique que porte notre planète, un gros morceau s'en va vers le sud. Le climat y reste tempéré grâce aux courants d'eau chaude venus de l'équateur. La végétation y prospère, de même que des animaux, surtout des marsupiaux...

Cher Julien Gracq ! En racontant, il me souriait. Il savait comme il m'apportait de bonheur.

– ... Hélas, une fracture survient. Une partie de l'immense Antarctique décide de se séparer et remonte vers le nord : ainsi naît l'Amérique du Sud. Dans la brèche ouverte s'engouffre la mer. Un violent courant se forme, poussé par le vent d'ouest. Tournant autour de l'Antarctique, il fait barrage à la chaleur venue de l'équateur. Peu à peu, la neige et la glace remplacent les forêts. De plus en plus blanc, le sol renvoie les rayons du soleil au lieu de l'absorber. La température plonge. Toute vie s'en va.

– L'origine du froid, c'est donc la séparation. Puis la solitude.

– Vous avez raison. Mais comme vous êtes sentimental, Erik… Orsenna.

Chaque fois, avant de prononcer mon pseudonyme, Julien Gracq marquait un temps d'arrêt. Derrière mon visage, il devait toujours voir la ville qu'il avait construite dans son roman, la ville mythique, Venise ou Raguse, en attente d'un ennemi qui ne venait jamais.

Julien Gracq avait raison : je pensais à cette étrange agitation de l'âme dont nous faisons si grand cas et que nous avons appelée *les sentiments*. Je pensais à nos sentiments à nous, humains. Pourquoi ne seraient-ils pas gouvernés par les mêmes mouvements que ceux de notre planète ? Pourquoi la géologie ne dicterait-elle pas sa loi à la psychologie ? Les femmes que j'avais aimées jusqu'à présent s'étaient éloignées peu à peu. Nous avions dérivé, comme les continents, comme l'Amérique s'éloigne de l'Afrique.

Avec Isabelle, c'était la dynamique inverse. Nous habitions deux plaques qui s'étaient avancées l'une vers l'autre et qui maintenant se heurtaient, s'agressaient, se blessaient.

De cette guerre entre les deux plaques, l'Indienne et l'Eurasienne, était né l'Himalaya. Mes conflits perpétuels avec Isabelle aboutiraient-ils, toutes proportions gardées, à lever une montagne ? Ou, plus probablement, à la misérable explosion d'un divorce ?

Julien Gracq était fatigué. Je me gardai bien de lui faire part de mes billevesées. Nous n'avons pas pris de dessert. Je l'ai raccompagné chez lui, dans son Grenier à Sel. Nous marchions à pas encore plus petits qu'à l'aller.

– Vous préférez quand je suis sérieux, n'est-ce pas ?

C'est ainsi qu'il m'a dit adieu.

Je me suis retourné. Il agitait encore le bras. Le vent aurait pu l'emporter tellement il m'a semblé frêle.

En décembre suivant, il était mort.

Entre-temps j'avais regagné Paris par Mauves, dans le Perche. C'est là que chaque fin de semaine vient se reposer mon médecin traitant, celui de la rue Rosa-Bonheur.

La bonne idée vint d'Isabelle.

Soyons plus précis.

Elle naquit de la douleur d'Isabelle, son vide le plus profond, le manque qui la dévastait.

— Éric, sais-tu pourquoi j'ai tout de suite aimé ton père ?

— Non, Isabelle, je ne sais pas.

— Quand tu me l'as présenté, te rappelles-tu que des larmes me sont venues ?

— Je me souviens.

— Et te souviens-tu comme cette émotion t'a énervé ?

— J'ai honte, mais je me souviens.

— J'attendais un tel regard depuis toujours.

— Tu peux être plus précise ?

— Il m'a regardé avec le regard que j'ai toujours attendu de mon père...

— Et qui n'est jamais venu.

– Tiens, tiens, voici Éric qui se met à devenir intelligent !

– Et qu'avait-il de si particulier, ce regard de mon père ?

– La confiance. Ou si tu préfères, la bienveillance.

Et comme à chaque fois qu'elle repensait à ce père qui ne l'avait jamais aimée – du moins telle était sa conviction –, Isabelle se mit à pleurer.

Telle est l'origine de la bonne idée. Une fois posé ce regard, les conséquences s'en déduisaient toutes seules.

– Éric, tu sais qu'il y a une chose que je ne veux pas. À aucun prix. Blesser ton père.

– Je le sais.

– Tu sais aussi que rien ne pourrait le rendre plus malheureux que notre échec ?

– Je le sais.

– Alors mentons !

C'est ainsi que, chaque semaine, j'appelai Françoise pour lui donner de fausses nouvelles d'amour imaginaire.

Car, malgré nos conversations aiguës sur l'amour et sur nos pères respectifs, ma relation avec Isabelle, fêlée dès le début par ma fuite vers Parly II en pleine lune de miel, continuait de se dégrader. Chacun avait retrouvé son domicile et ses habitudes de célibataire. Parfois l'un appelait l'autre. C'est trop bête ! Avons-nous tout essayé ? Je me disais que peut-être. Moi, je peux me libérer demain…

Mais sitôt assis face à face dans un restaurant, je suis heureux de te voir, figure-toi que moi aussi, le climat s'aigrissait. Pour rien, un mot de trop, tu as l'air fatiguée, un détail, pardon mais je n'aime pas tes lunettes, c'est toi qui les as choisies, un silence, avant on ne s'ennuyait pas ensemble, et le dîner partait en vrille et je me retrouvais seul en tête à tête avec le dessert qu'elle avait pourtant commandé, toujours à base de chocolat.

— Bonjour, Françoise !

— Oh, Éric, comment allez-vous ?

— Isabelle et moi partons demain pour la baie de Somme. Vous savez qu'elle m'a transmis sa passion pour les oiseaux ?

— C'est votre père qui va être heureux !

— Et nous allons écrire un livre ensemble.

— Merveilleux !

— Reste à choisir le personnage : le héron est un peu sédentaire, vous ne trouvez pas, Françoise ? Alors nous penchons pour le bécasseau sanderling, vous savez, celui qui court sur le sable de toutes ses petites jambes. Allez, embrassez bien papa. Par téléphone et si ça vient de vous, aucun risque de contagion.

— Comme vous êtes drôle, Éric ! Ça, c'est la vraie preuve du bonheur !

Autre exemple d'information très éloignée de la vérité :

– Françoise ?

– Tiens, Éric, quel plaisir de vous entendre ! Vous avez une bonne voix.

– C'est qu'avec Isabelle nous avons trouvé un appartement.

– J'en connais un qui va se réjouir.

– À Bir-Hakeim. Nous nous sommes découvert le même amour pour le pont. Et puis si près de la tour Eiffel...

– Excellent choix.

– Au revoir, Françoise. Dites à mon père que je l'aime.

– Pas la peine, il le sait.

– C'est toujours la peine.

– Comment l'entendez-vous ?

– Ah, ah, Françoise, je vous embrasse.

En raccrochant, je me disais, mi-honteux, mi-fier : Éric, tu es un Viollet-le-Duc de l'amour. À partir de ruines tu construis le plus noble et le plus neuf des châteaux, prêt à recevoir la visite de millions de personnes (parfois, la modestie n'est pas mon fort).

Depuis cette filature où elle m'avait ridiculisé, j'avais compris la vraie nature de Françoise : une fine mouche sous ses dehors de scientifique timide.

Je savais bien qu'elle n'était pas dupe de mes simagrées. Elle aussi voulait que mon père revienne. Elle avait beau aimer les Morellet et l'art abstrait, elle commençait à ne plus supporter Cholet, ni l'autoroute A11 et sa sortie d'Ancenis. Nos intérêts convergeaient. Sans vergogne, elle devait répéter mes mensonges à mon père. Peut-être même en rajoutait-elle. Les esprits scientifiques sont bien plus libres qu'on ne croit et très à l'aise dans l'imaginaire.

*
* *

C'est encore d'Isabelle que vint la seconde bonne idée, conséquence de la première.

— Mentir à Françoise ne suffit pas.

— Pourtant je ne lésine pas sur le romantisme.

Elle prit son air buté, que je déteste, et hocha la tête.

— Il faut lui écrire.

— Écrire à qui ?

— Mais à ton père, voyons. J'ai confiance en Françoise. Mais il a besoin de lire tes mots, tes mots à toi.

— Je n'y arriverai pas.

— Je peux t'aider, si tu veux. Attention ! je ne le fais que pour ton père !

— Hélas, je ne le sais que trop.

Trois mois durant, nous lui avons écrit régulièrement. Quand un trou s'ouvrait dans sa consultation, Isabelle me donnait rendez-vous au *Mac Donald's* voisin de son cabinet. Lequel des très jeunes gens qui nous servaient ou nous entouraient aurait pu deviner que ces deux presque vieux rédigeaient de fausses lettres d'amour ?

Baisers rapides sur les deux joues. Et au travail !

– Merci de t'être libérée.

– Oh, pas de temps à perdre. J'ai un patient dans quarante-cinq minutes.

– Nous ne lui avons pas écrit la semaine dernière.

– Il doit commencer à s'inquiéter.

Cher Papa,

Tu ne vas pas y croire. Pas plus tard qu'hier, vers onze heures du matin, qui se présente à mon bureau ? Ma femme. « J'ai deviné que tu avais un gros souci avec ton chapitre V. Alors je viens juste te prendre dans mes bras. Non, je ne peux pas rester. Ma salle d'attente est pleine. » Tu vois

comme je suis aimé ! Enfin, enfin ton vieux fils
au bout de sa longue course a trouvé sa femme.
Je te jure de bâillonner un à un tous mes démons
et de n'écouter qu'une seule voix, celle de l'évi-
dence : le bonheur avec Isabelle. Tu peux donc
avoir confiance et revenir quand tu veux : cette
fois, j'en mettrais ma main au feu, cet amour va
durer jusqu'à la fin. C'est Isabelle qui me fer-
mera les yeux. En attendant, je la regarde, je la
détaille même et je m'émerveille. Je te souhaite
bon Cholet et bon Morellet, mais reviens vite
quand même. Ensemble, mais grâce à toi, nous
avons vaincu la malédiction familiale.

Je t'embrasse

— On pourrait même ajouter qu'en partant,
au lieu de t'embrasser, action banale, je t'ai juste
touché la joue.
— Excellente idée ! C'est le détail qui boule-
verse.

Certains penseront qu'étant donné ma profes-
sion liée à l'écriture, j'ai joué le plus grand rôle
dans la rédaction de nos lettres.
Erreur !
Tout au long de nos travaux, ma future
ex-femme montra des dons qui la surprirent
elle-même, tant dans l'imagination des scènes
d'amour fou que pour trouver les mots capables

de les raconter. Je m'émerveillais devant un tel talent, si vif et si naturel, à l'évidence ancré au plus profond de sa personne.

Dans le même temps, je frissonnais.

– Mon Dieu ! Merci, merci d'avoir éteint, si bien et radicalement éteint l'amour que j'avais pour elle ! Oh, comme j'aurais souffert si je l'avais encore le moins du monde aimée ! Comment faire la moindre confiance à une femme tellement à son aise dans la fausseté ?

*
* *

Dans un carnet noir, bien sûr couleur de deuil car à cette époque de ma vie je me laissais volontiers aller à la grandiloquence, j'ai recopié tous ces mensonges, avec la date correspondante. Comme si le jour et la saison avaient pu exercer une quelconque influence sur notre imagination.

26 décembre 2010 – Éric, le promeneur, invite Isabelle à découvrir sur l'île de la Giudecca (Venise) le restaurant si bien caché du chantier naval.

19 janvier 2011 – Isabelle, le médecin, apprend à Éric (l'ignorant) la différence entre un microbe et un virus. Quoi de plus utile, n'est-ce pas, quand on a le projet d'écrire une biographie de

Pasteur. Chemin faisant, Éric et Isabelle réflé-
chissent aux secrets de la vie.

14 mars 2011 – Isabelle et Éric survolent, dans
le plus petit des hélicoptères du monde, le delta
géant du Gange et du Brahmapoutre.

29 mars 2011 – Dans un restaurant de Salvador
(Brésil), Éric apprend à Isabelle le goût de vivre.

Quand vous commencez à mentir, plus rien
ne vous arrête, ni les distances ni le coût des bil-
lets d'avion.

– Ne crois-tu pas que ton père va s'étonner
de cette frénésie de voyages ?

– Il sait comme j'aime bouger.

– Tu penses qu'il va se dire : enfin mon fils
a trouvé une compagne aussi nomade que lui ?

– Exactement !

*
* *

Les travaux de rédaction rapprochent. On se
penche l'un vers l'autre, on se frôle, on se touche
et les esprits communiquent, forcément. C'est
mécanique, professionnel, pas sentimental. De
temps en temps, je surprenais certains coups
d'œil d'Isabelle jetés sur ma modeste personne.
Parfois on aurait presque dit de l'affection, de la
tendresse, voire du désir.

Par chance, ils ne s'éternisaient pas, ces coups d'œil, vite maîtrisés, tout de suite évanouis. Et puis ils tombaient toujours mal. L'une de ses remarques venait de me la faire détester, surtout le ton qu'elle a parfois, mi-cassant, mi-renfrogné. Ces regards presque doux se heurtaient à un mur.

J'imagine que de semblables éclairs énamourés devaient aussi passer dans mes yeux, accrochés à l'ouverture de son tee-shirt ou longeant lentement ses bras qui me rendent fou.

Mais c'était aussi pour elle un mauvais moment, l'un de ceux où je l'exaspérais le plus par ma frénésie, mon maladif besoin d'enchaînement, mon incapacité à freiner, à demeurer quelque part, une minute.

Oh, double intermittence du cœur !

Comment harmoniser les phases.

En plus de la lecture, de l'écriture et du calcul, on devrait, dès l'école primaire, apprendre les lois fondamentales de l'électricité. Peut-être que les petits Français, devenus grands, vivraient des amours plus durables.

*
* *

Le plus surprenant était à venir.

Un jour, d'après le carnet noir, gardien des vérités mensongères, c'était le 5 avril 2011, ma future ex-femme est arrivée à notre table avec la mine aussi fermée, renfrognée que celle qu'on lui voit sur ses photos de classe.

– Que se passe-t-il ?

– Je suis certaine que tu lui écris derrière mon dos.

Je préférai avouer tout de suite, argumentant qu'après tout c'était mon père, un homme qui plus est, et qu'entre hommes, surtout s'ils sont père et fils, il y a des sujets qu'il vaut mieux aborder sans femme, et particulièrement si la femme est la belle-fille du père concerné.

– Que lui dis-tu ?

Comme on s'en doute, je renâclai à préciser.

– Très bien, dans ce cas-là, j'arrête.

Et sous le regard désolé des étudiants du *MacDo*, elle rassembla ses affaires et se leva.

– Assieds-toi ! S'il te plaît. Tu veux vraiment que je précise ?

– Bien sûr, je le veux !

– Je lui raconte ce que pourrait être notre vie sexuelle.

– Parce qu'avec ton père, vous abordez ces questions-là ? Quelle famille dépravée ! Aucune pudeur.

Avec prudence, car le caractère de ma femme est plus inflammable et plus explosif que la poudre, vous l'avez déjà noté, je me permis de lui faire remarquer, d'une part, qu'elle parlait un peu fort et que, d'autre part, si telle était sa réaction, au demeurant légitime étant donné la pudeur généralement admise entre père et fils, j'aurais mieux fait de garder le silence.

– Tu me prends pour qui ? Une bégueule, une mijaurée, l'une de ces petites Science-Po qui te plaisent tant ? Je suis médecin, figure-toi. J'ai connu les salles de garde. Puisque chez vous on parle de tout, allons-y pour notre vie sexuelle. Qu'est-ce qui pourrait le rassurer ?

Vous imaginez mon malaise et le fard qui me vint aux joues, mais comment reculer ? Elle me défiait.

– Nous avons le papier et le crayon ? Parfait. TU dictes et j'écris ? Ou tu préfères que je commence ? Comme tu veux. Je t'écoute. Je suis prête.

– Mon cher papa,

Bonne et mauvaise nouvelle : il m'aura fallu attendre mon presque grand âge pour atteindre mon épanouissement sexuel.

– Un peu solennel, non ? Et si tu étais plus direct, du genre : Avec Isabelle, je baise comme jamais. Enfin tout dépend de la manière dont vous vous parlez, ton père et toi. Pardon de t'avoir interrompu. Continue.

Il me fallut quelque temps pour reprendre mes esprits. Je tentai un autre début.

– Contrairement à ma conviction jusqu'à présent la plus avérée, notre vie quotidienne, en renforçant chaque jour la confiance, attise notre désir et notamment notre désir d'inconnu au lieu de le noyer dans la répétition...

– Mon Dieu, que tu es cérébral, Éric, et emberlificoté. Ce n'est pas là que ça se passe ! Tu crois que ton père sera choqué si nous lui racontons que je t'ai enfin, mieux vaut tard que jamais, fait découvrir les délices de la pipe !

– D'où sors-tu cette invention-là ?

– Du grand catalogue des possibles. Dans le cas, bien sûr, où nous nous serions aimés.

– Et il y a d'autres articles disponibles, dans ce grand catalogue ?

– Quel vieil ingénu tu fais ! Mais inutile de te fatiguer. Pour y avoir accès, il faut présenter sa carte d'amoureux. Et une carte bien à jour.

Je voyais bien que, réuni autour de la caisse, le personnel *MacDo* discutait de nous joyeusement. Nous étions ce soir-là leurs derniers clients. Ils avaient tout leur temps. La serveuse ivoirienne avait dû surprendre quelques bribes de notre conversation quasi paillarde, et tout ce petit monde s'en amusait fort. Dis-moi, les vieux à la deux, ils sont chauds bouillants. C'est réconfortant à leur âge.

Et dans le calme retrouvé d'un non-amour réciproque, nous reprenions nos écritures éroticomensongères.

Grâce à elles, mon père vécut dans la paix les derniers mois de sa vie.

Telle est du moins la version officielle que voulut bien nous raconter Françoise. Et qui nous arrange tous.

Le téléphone fixe finit par sonner. Personne n'utilisait plus depuis longtemps cette ligne ancienne. Je regardai vibrer le combiné avec stupéfaction d'abord, ensuite avec émotion. Ce ne pouvait être que lui.

– Je ne te dérange pas ?

– Depuis le temps que j'espérais ton appel...

– Parce qu'on te dit, malgré ton âge, de plus en plus occupé.

– Papa, tu me manquais.

– Épargnons-nous la sensiblerie. Je veux faire le point. Un point aussi honnête que le permettra ta manie d'inventer. Nous sommes d'accord ?

– Je suis d'accord. La vérité, rien que la vérité.

– Pas d'ironie, je te prie. Après tout, il s'agit de ton bonheur. Regrettes-tu de t'être marié ? Jamais ? Parfois ? Tout le temps ?

– Jamais !

– Dans la journée, à l'idée de rentrer chez vous le soir, éprouves-tu de l'impatience, de l'accablement ou de l'indifférence ?

– Tu sais comment on me surnomme au bureau, tellement je pars tôt ? « Dix-huit heures pile ».

– S'il te plaît, pas de digression, pas de périphrase. Je connais ton habileté pour noyer le poisson. Quand ta femme s'exprime devant des tiers, lors d'un dîner par exemple, l'écoutes-tu avec fierté, agacement, indifférence ou ennui ?

Au rythme accéléré de ses questions et à la précision de leur libellé j'avais compris qu'il avait dressé une liste comme dans ces jeux que les magazines offrent, l'été, à leurs lecteurs désœuvrés. Quelle sorte d'amant êtes-vous ? Prenez-vous assez soin de vous ? Êtes-vous toujours de gauche ?

À chacune de mes réponses, il devait cocher une case. À la fin de l'exercice, son opinion serait faite sur l'état de mon mariage. Si je voulais vite revoir mon père, je devais mobiliser toute mon attention.

Les fabricants de ce genre d'interrogatoires glissent toujours des pièges pour débusquer les menteurs.

Comme s'ils avaient eu pitié de moi et décidé de me porter secours me revinrent les souvenirs de mon éducation religieuse, la méthode année après année améliorée pour se sortir indemne des séances de confessions les plus perverses. Je revoyais le visage du Bon père, derrière la grille. Vous aimez votre corps, mon fils ? Oui ? Louons le Seigneur de l'avoir créé. Et quelle partie de votre corps aimez-vous le mieux ? Le pied droit, à cause du foot ? Parfait. Et c'est à cette partie-là, vraiment, que vous apportez le plus de soin ?

– Tu es toujours là, Éric ? Très bien. Je croyais t'avoir perdu. Nous sommes loin d'avoir terminé. Maintenant, pardon de me montrer un peu, comment dire ?, intime mais à son vieux père on avoue tout, n'est-ce pas ?

– Toi et moi on a déjà beaucoup parlé d'amour, il me semble.

– Parfait. Alors voici. Quand vient l'heure d'aller au lit, tu te sens confiant ou angoissé de n'être pas à la hauteur ?

– Les premiers mois, je mourais de peur. Ça va mieux.

– Parfait, parfait : l'important, dans un couple, c'est la dynamique ! Justement, si tu devais mesurer la taille de votre amour depuis la cérémonie à la mairie, dirais-tu qu'il a grandi, rapetissé ou qu'il est demeuré identique à lui-même ?

Ainsi de suite. Peut-être cent questions.

– Pourquoi voyages-tu tellement ? Parce que ton métier t'y oblige ou parce que rien ne te retient chez toi ?

– Parlons maintenant de bienveillance. Peux-tu dire de ta femme que c'est elle qui, de tous les êtres sur Terre, te veut le plus de bien ?

– Peux-tu dire de ta femme qu'elle est ton meilleur ami ?

– Quand pour la centième fois ta femme se trompe de route pour aller de Paimpol à l'Arcouest, tu t'énerves ou tu t'attendris ?

Plus l'interrogatoire avançait, plus je me demandais quel mariage de mes proches aurait passé l'examen.

– Pour conclure : préfères-tu passer du temps avec tes amis, avec ta femme ou tout seul ? Et ne réponds pas : ça dépend du moment.

J'ai entendu qu'au bout du fil mon père refermait son cahier.

– Merci de ta patience.

– Merci à toi. Du soin que tu portes à mon amour.

– C'est tout naturel. J'ai bien pris note de tes réponses. Je vais en examiner les implications à tête reposée.

De temps en temps, de telles expressions venaient à mon père, mi-techniques, mi-solennelles, « implications », « corrélations »... sans doute des vestiges de sa vocation manquée d'ingénieur.

– Je te communiquerai dans quelques jours les résultats.

Et c'est à ce moment que mon père, sans doute par fatigue, s'est trahi.

Jamais un professionnel n'aurait conclu en fournissant d'avance son opinion sur le sujet même de l'enquête :

– En attendant, aime bien ta femme, Éric.

– Maintenant qu'elle m'aime aussi, c'est facile.

III

Quand j'ai appelé Isabelle, elle m'a tout de suite donné son accord.

– Je ne viens que pour ton père.

– Arrête de te répéter. Je le sais bien.

Nous sommes arrivés à La Flottille comme il fallait, juste en retard. Midi quarante au lieu de la demie. Pour laisser à mon père le temps de s'installer et de nous voir arriver, bras dessus bras dessous, tout guillerets, accompagnés par les regards de la salle entière, toujours cette majorité de touristes, oh qu'ils sont mignons, ces deux-là, oh comme ils s'aiment fort, décidément la France sera toujours la France, ce n'est pas toi, Helmut ou John ou Junichiro, qui me sourirais comme ça !

Oui, nous aurons offert à mon père un spectacle de qualité. Après les embrassades, les deux tourtereaux se sont assis en face de lui.

– Éric, tu m'avais annoncé vos retrouvailles. Mais je connais mon fils, pas plus menteur.

– Je confirme.

Cette intervention venait d'Isabelle, vous avez deviné. Elle n'a jamais pu s'empêcher de commenter. D'un léger, très léger coup de pied sous la table, je lui rappelai nos conventions : jouer le couple uni, deux heures durant, pas une minute de plus. Après, le carrosse redeviendrait citrouille, et nous, des bientôt divorcés, semblables à tous les autres, d'abord haineux, puis résignés, enfin apaisés.

Mon père, tout à son bonheur, n'avait pas senti l'aigreur.

– Que voulez-vous...

Il n'avait jamais réussi à tutoyer sa belle-fille.

– Pour un romancier, le mensonge est une obligation, non ? Ce serait la vérité la faute professionnelle.

– Papa, s'il te plaît : c'est un peu plus compliqué que ça.

– Bon, bon, quels sont vos projets ? Éric m'a dit, plutôt non, il m'a écrit, que vous emménagiez bientôt près du pont de Bir-Hakeim ?

De temps en temps, des rameurs venaient nous saluer, je veux dire des ex-rameurs, les responsables du Cercle Nautique. Mon père nous présentait, les présentait, avec le genre de détails qu'il affectionnait : Serge, notre directeur technique, il nous a fait l'honneur de nous rejoindre en 2005. Nous lui devons deux titres de champion de France et cinq podiums. Ah, Daniel ! Comment vas-tu ? Content de ta reconversion dans le Papier ? Oui, vous pouvez l'admirer, Isabelle. Personne n'a mieux barré que lui, des quatre, des huit ! Et voilà Jean-François, mon trésorier. Je m'appuie beaucoup sur lui...

Pour qu'il soit tout à fait convaincu, ledit trésorier, mon père lui avait posé la main sur l'épaule. Mon ex-femme ne s'impatientait même pas. Elle aimait trop mon père.

Il aurait pu lui faire tout subir, même lui réciter l'organigramme complet du Cercle Nautique de Versailles ou la composition du huit de l'équipe de France, y compris les remplaçants, Isabelle n'aurait pas cessé son ronronnement.

Papa revenait toujours au sujet principal du déjeuner. Il s'obstinait.

– Alors, les amoureux, vous déménagez quand ?

– Nous ne savons pas encore.

– À nouveau départ, nouveau bateau, non ? Enfin, c'est vous qui savez.

– Oui, papa, c'est nous qui savons.

Cette fois c'est moi qui ai eu droit au coup de pied d'Isabelle.

Un jeune homme s'avança.

– Je vous présente Abdenour, dit mon père...

Isabelle inclina la tête, juste un petit signe accompagné d'un grand sourire, des manières de princesse.

– Un grand espoir du Cercle Nautique, précisa mon père, Abdenour signifie lumière en arabe.

Je lui tendis la main.

– Si vous saviez comme j'ai rêvé d'être un jour sportif de haut niveau.

– Mais vous avez les livres…

– Non, non, rien ne vaut le sport.

Après, j'ai beaucoup parlé. Logique : c'est moi qui avais voulu ce spectacle. Je racontais n'importe quoi : nos projets, nos voyages, nos séances d'agenda, chaque dimanche soir pour articuler nos emplois du temps, notre récente passion commune pour la chorégraphie, Nicolas Le Riche, Luc Petton, tu sais celui qui danse avec les grues de Mandchourie.

Mon père ne m'écoutait pas. Il nous regardait l'un, puis l'autre. Il hochait lentement la tête, répétait :

– Oh, comme je suis heureux, mes enfants. Si vous saviez comme je suis heureux.

Je redoutais ce qui allait suivre. J'ai cherché une diversion, que je n'ai pas trouvée. Et ça n'a pas manqué, il a parlé de moi :

– C'est qu'il m'a donné du souci, mon Éric. Il réussissait tout, sauf ses mariages.

– Papa, s'il te plaît !

– Laisse-moi parler de toi, pour une fois. D'ailleurs, c'est à ta femme que je m'adresse. Ce que j'ai pu m'en faire pour lui ! Vous avez des enfants, Isabelle, alors vous me comprenez. Je lui dois bien des nuits blanches, à cet écrivain-là.

Et soudain, il s'est tu. La timidité pouvait saisir mon père n'importe quand. Il m'avait expliqué. Une sorte de brouillard glacé venu de l'enfance. Une main t'agrippe au creux du ventre et serre et serre. Tu te figes et tu as beau bouger les lèvres, aucun mot ne sort. Hélas, ce silence n'allait pas durer. Je connaissais trop mon père. Dès que le frappait un tel accès, il se réfugiait dans le seul domaine où il était sûr de ses compétences : l'aviron.

– Isabelle, vous connaissez l'expression « Tête de Rivière » ?

– Papa, s'il te plaît !

– Éric, tu n'irais pas faire un petit tour pour nous laisser un peu tranquilles ?

– Tête de rivière, dit Isabelle. Non, j'ai beau chercher, je ne trouve pas.

– C'est une course particulière, généralement la première de l'année. Les bateaux ne luttent pas entre eux, bord à bord, mais contre le temps, sur de plus longues distances, quatre et jusqu'à six kilomètres.

– Tête de rivière ! L'expression plaisait à Isabelle. Vous organisez partout des... têtes de rivière ?

– Presque partout, la Fédération croule sous les demandes. Tu vois, Éric, ta femme s'intéresse ! Elle ! Les têtes de rivière annoncent la fin de l'hiver. On s'ébroue, on évalue sa forme. L'inconvénient du Grand Canal, c'est sa taille. Il a beau s'appeler Grand, il est trop court pour une vraie tête de rivière.

Malgré mon agacement, j'ai souri à mon père. Il n'a pas dû comprendre. Il est mort trop tôt. Je n'ai pas eu le temps de lui parler de ce projet qui venait de surgir en moi : écrire, écrire rien que pour lui, écrire rien que pour lui faire plaisir, écrire rien que pour le titre qu'il verrait dans la vitrine de sa librairie favorite, boulevard du Montparnasse, écrire un roman qui s'appellerait « Tête de rivière ».

Mon père poursuivit un bon quart d'heure sur les têtes de rivière. Les tartes Tatin arrivaient quand il revint au premier thème du spectacle, notre amour.

– Je peux m'en aller tranquille.

J'ai sursauté :

– T'en aller où, cette fois ?

Il a souri.

– Ne t'inquiète pas. Aux championnats d'Europe. Lac de Bled, en Slovénie. Tu vois, ce n'est pas si loin. Nous avons deux bateaux qualifiés.

Je me suis levé. Je voulais abréger. Il était parti pour nous donner le nom des rameurs, leur âge, leurs études, leur poids, leur taille. Cette fois, Isabelle n'y résisterait pas.

– Nous avons rendez-vous pour acheter une cuisine.

– Bonne idée ! Enfin du concret ! Ah, mon Éric, rien ne pourra te faire plus de bien qu'un peu de concret.

Nous l'avons embrassé et nous avons quitté La Flottille comme nous étions arrivés, bras dessus bras dessous, accompagnés par les mêmes regards d'autres touristes (on ne reste pas longtemps déjeuner à La Flottille, on a de l'Histoire à visiter : le parc, le château ; la gastronomie française, ce sera pour le soir). Mais la nouvelle fournée nous trouvait tout aussi « *cute* », « *bezaubernd* », « *prelestnyy* », « *so french* ».

En nous raccompagnant, le patron nous a dit gentiment qu'il voulait nous engager, vous viendrez toutes les deux heures, le spectacle de votre amour vaut tous les orchestres...

Il ne croyait pas si bien dire.

Moi, j'aurais volontiers continué ce bras dessus bras dessous, je me sentais si bien contre Isabelle et nous avions si souvent longé ensemble le Grand Canal. Pas de chance, elle avait à faire. Sitôt atteint le parking, elle s'est dégagée.

– Ton père ne peut plus nous voir ?

– Je ne crois pas.

– Alors finie la comédie.

– Il a des amis. Ils pourraient lui répéter.

Elle a bien voulu que je garde sa main. Mais seulement jusqu'à la voiture.

– Qu'est-ce qui t'a pris ?

– Pardon ?

– Cette histoire de cuisine.

– Je voulais faire plus vrai.

– Ah oui, j'avais oublié.

– Quoi donc ?

– Ta technique de romancier. Le petit fait vrai pour émouvoir. Tu me déposes à la gare ?

– J'aurais pu te raccompagner.

– Tu ne m'as jamais accompagnée.

Nous n'avons pas assez vite bouclé nos ceintures. Avec les alarmes, on ne s'entendait plus. Merci les alarmes, il valait mieux ne plus pouvoir parler.

Versailles-Rive-Droite, Versailles-Rive-Gauche, les autres noms de gare se comprennent. Mais pourquoi Versailles-Chantiers ? Chantiers de quoi ? Le château est fini depuis plus de trois siècles.

Isabelle est descendue sans me regarder.

– On se quitte comme ça ?

– Je n'étais venue que pour ton père.

Avec un peu de chance, elle attraperait le 15 h 17. Quasi direct jusqu'à Montparnasse.

Trois arrêts seulement : Viroflay, Chaville et Meudon. Chacun sa mémoire. La tête de mon père aura toujours été encombrée de résultats sportifs. La mienne d'horaires de trains.

Ce dimanche-là, troisième jour du printemps, mon père avait l'air ravi de celui qui vous a préparé une surprise.

– Mon fils, assieds-toi vite. Inutile de commander, notre chablis arrive.

– Que se passe-t-il ? Nous fêtons quelque chose ?

– Mais toi, mon Éric ! Ta venue dans ce monde. Nous sommes le 22 mars. Bon anniversaire !

– J'avais oublié.

– Moi, non. Et voici ton cadeau.

Je pensais qu'il allait se pencher et sortir de sous la table un paquet enrubanné. Mais non, il continuait de me regarder. Avec une telle tendresse que des larmes me sont venues.

– Écoute bien. Revoici Augustín, notre ancêtre cubain. Voici la seconde partie de son histoire.

– Oh, merci, papa, tu ne pouvais m'offrir mieux.

– Je sais.

*
* *

Depuis son premier rhum au café *Consolacíon*, notre ancêtre Augustín en était devenu l'un des clients les plus assidus quoique les moins rentables : jamais plus d'un petit verre. Le patron Gabriel ne lui en tenait pas rigueur. Rien ne le réjouissait plus que le bouleversement de ce jeune Français devant la diversité et l'effronterie des beautés locales : dès que l'une d'entre elles s'amusait à lui adresser la parole ou, pire, lui lançait une œillade, le tailleur tremblait, rougissait, pâlissait, se tordait sur sa chaise, se rongeait les ongles, balbutiait sans fin des « Je suis marié », bref, manquait mourir. Ce spectacle hilarant, dépassant en comique tout ce qu'offraient à La Havane les théâtres les plus réputés, compensait, largement, tous les manques à gagner.

Aussi Gabriel avait-il pris Augustín en affection et répétait partout sa fierté d'accueillir en son établissement le champion mondial de la timidité.

C'est justement de cette maladie qu'un bon jour son mauvais client et ami lui parla.

– Gabriel, sais-tu tenir un secret ?

– Je ne répands, et avec le plus inépuisable des plaisirs, que ceux de mes ennemis.

– Voici : je veux guérir.

– De quelle maladie ?

– Je suis fou des femmes. Mais j'en ai peur !

– Quel est le problème puisque tu es marié ?

– Justement ! Tu es mon ami, n'est-ce pas ? Je te dis tout. Mon épouse pense... Enfin, de toi à moi, elle voudrait que je me dégèle. C'était bien la peine d'aller sous les Tropiques, voilà ce qu'elle me répète la nuit.

– Cette maladie-là, je l'avais remarquée. À première vue, je ne connais pas de médicament.

– Je pense à la musique. Ceux qui la pratiquent sont aimés des femmes. Quand tu te sens aimé par toutes, j'imagine que c'est plus facile d'oser avec une.

Gabriel hocha la tête. L'après-midi même, il trouvait à notre ancêtre un professeur de piano, un Italien arrivé depuis peu, Leonardo.

Dès le lendemain, les leçons commençaient.

C'était un homme grand et doux au visage acéré, sans beauté particulière mais on lui prêtait d'innombrables aventures féminines : la preuve vivante de l'efficacité de la musique pour venir à bout de la timidité.

Comme Gabriel, il prit Augustín en amitié. Et au rythme de trois leçons par semaine il le fit entrer dans l'univers des blanches et des noires, des croches et des soupirs, des bémols et des dièses.

D'après les informations dont nous disposons, notre ancêtre ne progressait pas vite. Il lui aurait fallu un piano à domicile. Mais pas question que sa femme apprenne le traitement qu'il suivait. Il ne se rendait chez son enseignant qu'entre trois et cinq, les heures les plus chaudes durant lesquelles sa femme, la bouche ouverte, allait chercher dans la sieste une improbable fraîcheur.

Malgré leur manque d'exercices, ses doigts peu à peu se déliaient et il lui semblait qu'un morceau même facile mais correctement joué lui caressait l'âme. Laquelle, en retour, se détendait. Quel chemin suivait la musique pour passer des doigts à l'âme ? Mystère. Et ma femme s'est-elle rendu compte que je change ?

Autre mystère car jamais, jamais il n'avait osé lui poser la moindre question sur de très éventuelles améliorations dans ses manières au lit.

Il faut comprendre que, de moyen pour se guérir, de médicament, la musique commençait à devenir sa propre fin. C'est le cœur réjoui que notre ancêtre se rendait à ses leçons. Et il n'avait pas seulement rendez-vous avec son professeur. Il allait retrouver une très jeune femme allemande, décédée cent ans plus tôt, de l'autre côté (vers l'est) de l'Atlantique. Elle se prénommait

Anna Magdalena. Et Jean-Sébastien Bach l'avait épousée.

C'était son cahier dans lequel le professeur puisait. Un recueil à la couverture verte cartonnée. Pour l'instant, Augustín devait se contenter des pièces les plus simples, par exemple le *Menuet*, attribué à un certain Christian Petzold. Ré, sol, la, si, do pour la main droite. Accord sol si ré pour la gauche.

Mais un jour, se répétait notre ancêtre, un jour je saurai jouer TOUTE la musique que le Maître avait rassemblée pour sa toute jeune épouse. Notre ancêtre se disait-il que lui aussi avait pour femme une Magdalena ? Souvent il rêvait qu'il attendait dehors et dans le froid, devant une grande porte fermée. Derrière les planches monumentales, il entendait les plus belles harmonies. Et soudain, dans ce rêve, la lourde porte s'entrouvrait, paraissait la tête de son professeur de piano. Il lui faisait signe d'entrer. Bienvenue, lui chuchotait-il. Et il lui montrait sa place : un tabouret dans le coin le plus reculé. Et il lui disait : pour l'instant, tu ne mérites pas mieux mais Bienvenue dans le royaume de la musique !

Le bonheur Arnoult aurait eu toutes ses chances de continuer, musical, tropical et conjugal, si, un mercredi matin, juste après la sonnerie du quart de onze heures, Augustín n'avait, pour une raison saugrenue (le besoin urgent de vérifier si la pièce tellement triste *Le Misanthrope* avait été écrite par Corneille ou par Molière ; plus tard il se dirait que le destin aurait pu, pour avancer, se fabriquer une excuse plus crédible), quitté sa terrasse rituelle de la *Consolación*. Abandonnant son petit verre de rhum à peine entamé et sourd aux protestations de Gabriel (pourquoi cette hâte, Augustín, sais-tu qu'un rhum dédaigné se venge ? Plus tard, il se demanderait si Gabriel n'avait pas voulu le retarder, prouvant sa complicité avec l'infâme, quel traître !, lui que je croyais mon ami), il s'était rendu jusqu'à chez lui, le pas allègre et la bouche sifflotant les premières notes de la *Marche turque*. Si, la, sol dièse, la.

Sa porte fut ouverte sans le moindre grincement puisqu'il l'avait graissée la veille (autre minable facétie du destin).

Et tu me croiras ou pas, pourtant telle est la vérité, indéniable, sa femme, par ailleurs ton arrière, arrière, arrière-grand-mère était allongée sur le canapé mité du salon, nue, et les doigts longs et décharnés de ce cher professeur de piano se promenaient sur la blancheur de son ventre, tantôt vers le nombril, tantôt plus bas.

Il paraît, d'après des archives fiables, que notre ancêtre infidèle se contenta de saluer son mari d'un très léger mouvement acquiesçant de la tête tandis que par deux fois ses paupières s'abaissaient. Leonardo, l'amant et professeur, ne s'était aperçu de rien.

Quel choix restait à notre Augustín ?

Se saisir d'un grand couteau et le plonger dans le dos du lutineur ? Une telle violence n'était pas dans les manières douces de notre ancêtre.

Il préféra quitter la scène à reculons.

La porte, minable alliée du destin, ne grinça pas plus au retour qu'à l'aller.

Et, d'un pas peut-être un peu moins allègre mais, contrairement aux rumeurs malfaisantes qui coururent peu après dans la ville, ferme, il revint s'asseoir à la terrasse où l'attendait sa moitié de rhum (qu'il acheva cul sec) et son faux ami Gabriel qui ne trouva rien de mieux à dire que cette banalité : tu vois, on risque gros à changer ses habitudes.

*
* *

Ainsi s'établit le rituel de la double vie.

Le premier jour où Augustín était venu s'asseoir à la terrasse de Gabriel et s'était émerveillé de la diversité des beautés locales était un mercredi.

C'est donc le mercredi que sa femme avait choisi pour donner rendez-vous à son amant, et juste pendant les deux heures, deux heures et pas une minute de plus, durant lesquelles son mari s'émoustillait sur la fameuse terrasse à savourer le défilé des beautés locales.

Vengeance de l'épouse trompée, diront certains, loi du talion, réponse du berger à la bergère ?

Chaque fois que ses amies femmes la félicitaient, et même, l'acclamaient et toutes l'enviaient pour cette riposte qui les honorait toutes, l'épouse d'Augustín et par ailleurs notre ancêtre, je te le rappelle, haussait les épaules.

– Vengeance ? Pourquoi me vengerais-je de lui que j'aime. Je dirai plutôt : *équilibre*. Équilibre de nos libertés. Et si vous voulez savoir, vif plaisir hebdomadaire. Autrement, croyez-vous que cette attitude durerait depuis si longtemps et que, sans nul doute, elle durera jusqu'à ce que l'un de nous trois quitte cette terre, satisfait.

Ces amies, les copines, s'en retournaient chez elles interloquées.

– Cette Française a du ressort.

– Et du bon sens.

– Elle m'a dit avoir des origines états-uniennes.

– Alors tout s'explique.

*
* *

Dix-sept années passèrent dans cet « équilibre ».

Vers la fin d'un mercredi matin, la demie de onze heures venait de sonner à l'église tutélaire, le professeur et rival d'Augustín se présenta chez Gabriel, lequel sursauta. Chacun, dans la ville, connaissait l'horaire du trio, toujours scrupuleusement respecté.

Avec embarras, Gabriel, le patron de la *Consolacíon* montra le dos d'Augustín, tranquillement assis à sa place du mercredi, la même depuis dix-sept ans.

– Je sais, dit Leonardo.

Et, sous les regards des habitués, mi-ravis (enfin un événement), mi-apeurés, prêts à plonger sous les tables (on ne sait jamais, une balle perdue), il s'avança.

– Bonjour.

– Bonjour, Leonardo, répondit notre ancêtre sans se retourner.

Depuis toutes ces années, il connaissait tout de son rival et professeur. Et ce qu'il n'en connaissait pas, il avait tout le temps de l'imaginer, je veux dire de le ruminer.

– Je ne te dérange pas ?

Augustín sortit sa montre de son gousset.

– Au contraire. Comment voudrais-tu ?

– Je crois qu'il faut qu'on arrête.

– Comme tu veux.

– Hier j'ai vu tes doigts sur le piano. Ils accrochent, ils peinent.

– Je me suis dit la même chose : depuis quelque temps, ils blessent la musique. Tu as raison. Il vaut mieux arrêter.

228

– Tu as raison : c'est l'âge. Et je voulais te dire : moi aussi j'arrête. Mes doigts ne valent pas mieux que les tiens. On n'y peut rien. L'arthrose.

– Merci d'être venu me prévenir.

– C'est tout naturel.

Leonardo souleva son chapeau et s'en fut. On l'attendit. Deux mois d'attente en pure perte, deux mois sans musique dans la petite rue où il habitait (au grand regret de ses voisins, ceux-là justement qui protestaient contre ces mêmes mesures de la *Marche turque* ou de *La Lettre à Élise* sans cesse répétées par des élèves mêmement malhabiles, oh s'il vous plaît, monsieur le maire, trouvez-nous un autre professeur de piano, on n'en peut plus des corneilles et de leurs cris perçants qui ont colonisé le silence), deux mois durant lesquels Augustín eut beau avec de la cire se boucher les oreilles, il ne pouvait pas ne pas entendre les larmes perpétuelles de sa femme, jour et nuit, et le jour plus que la nuit, et plus encore le mercredi matin entre dix heures et midi, papa, pourquoi maman est-elle tombée dans ce chagrin si bruyant et si perpétuel, tu as été méchant avec elle ? méchant, méchant papa oh mes enfants si vous saviez alors explique-nous je vous expliquerai peut-être quand vous serez grands. Les biens de Leonardo furent dispersés au cours d'une vente aux enchères organisée par le curé au profit des nécessiteux et des culs-de-jatte et en rémission des innombrables péchés de leur ancien propriétaire disparu.

Pour acheter il vint des gens de toute la sous-province, prêts à payer cher la moindre relique, un bol du petit déjeuner, un monocle, des chaussons dépareillés. Le prix le plus élevé fut atteint par des partitions, dont l'inoubliable petit livre d'Anna Magdalena Bach. Augustín faillit lever le doigt mais il se retint, par crainte du ridicule. Il savait bien que tout Trinidad faisait des gorges chaudes des infidélités obstinément hebdomadaires de sa femme. Son cœur se pinça quand il vit un gros porc commerçant de Cienfuegos poser ses gros doigts satisfaits de propriétaire sur la couverture verte du petit cahier. Pauvre Augustín. Il aurait dû braver le qu'en-dira-t-on. Une honte bien pire l'attendait.

Car restait le piano. Notre malheureux ancêtre ne comprit pas tout de suite l'origine des rires qui secouaient soudain une assistance jusque-là silencieuse, recueillie dans sa nostalgie. Il n'avait pas reconnu la voix venue du siège voisin du sien et qui criait deux mille cinq cents, le double de la mise à prix. Il tourna la tête vers l'origine de cette annonce inconsidérée. Et c'est alors, alors seulement, qu'il s'aperçut qu'elle venait de sa femme, laquelle, pour mieux se faire entendre et mieux faire comprendre qu'elle VOULAIT ce piano, s'était dressée et, la mine altière, toisant la foule pendant que son mari priait le Dieu tout-puissant ou le diable, parrain des cocus, de l'enfouir à l'instant même et pour toujours au plus profond de la Terre où brûle, dit-on, un noyau de feu liquide et purificateur.

Aux rires moqueurs avait succédé un silence ébahi, bientôt suivi d'applaudissements nourris accompagnés peu après d'acclamations.

Car il faut que tu comprennes, Éric, mon si cher fils, oui, il faut que tu te rentres bien ça dans le crâne et dans le cœur qu'à Trinidad, patrie de nos ancêtres et des passades sexuelles et brèves, filles des chaleurs du climat tropical, on ne respectait rien tant que l'amour, l'amour véritable. L'amour qui emporte en même temps qu'il dure. Et jamais personne chez nous, à Cuba, jamais personne, tu m'entends ?, n'aura l'idée mesquine et jalouse de jeter la pierre à un amour s'il a choisi de fleurir et de s'épanouir en dehors des ornières sacrées du mariage.

C'est ainsi que le piano, devenu légendaire, vint prendre sa place, toute sa place, c'est-à-dire la première, dans le domicile, toujours conjugal malgré les épreuves de l'adultère.

*
* *

Contrairement à la légende colportée par la méthode *Assimil,* tous les tailleurs ne sont pas riches. La maison familiale n'avait rien d'un palais.

Pour trouver une place au piano, chacun dut y mettre du sien et les enfants, par exemple, durent accueillir une armoire dans leur chambre déjà petite. C'est dire si la grosse boîte noire toujours fermée ne devint jamais populaire.

Ton arrière, arrière, arrière-grand-mère gardait sa clef dans une cachette connue d'elle seule, sans doute au plus près de son corps.

Quand le reste de la famille sortait pour aller à la mer ou se promener à cheval, elle ouvrait le couvercle et passait des heures à imaginer le jeu des doigts sur les touches.

Au retour du trio, le père et ses deux fils, elle se séchait vite les yeux mais trop tard pour qu'on ne voie pas son chagrin.

Augustín, quant à lui, s'était sans rien dire fait forger un double de la clef. Lui aussi chérissait ses trop rares moments de solitude dans la maison. Et il luttait, luttait contre la tentation de recommencer à jouer. Il se savait atteint par la maladie de l'arthrose et par ailleurs dépourvu de toute facilité musicale. S'il voulait aller au bout de l'ambition qu'il s'était fixée – parvenir à jouer avant sa mort TOUS les morceaux du petit livret vert d'Anna Magdalena Bach –, il ne fallait plus tarder. Mais il se gardait de céder. Toujours le même souci d'ÉQUILIBRE entre sa femme et lui. Elle n'a plus son amant, je n'ai pas droit à la musique.

Sans bien sûr en savoir la raison, les deux garçons avaient deviné que ce piano était la maladie de la famille, la source d'une tristesse auparavant jamais connue.

Un jour, ils se glissèrent chez le menuisier du coin des rues et lui dérobèrent une hache.

C'est ainsi qu'en éclats pas plus gros qu'allumettes fut, en deux temps, trois mouvements, réduit le fameux piano.

Et pour parachever leur œuvre salutaire de nettoyage, pour empêcher à tout jamais la nostalgie (et le piano) de revenir pourrir l'atmosphère, les deux garçons, leur utile forfait effectué, réunirent leurs économies, se rendirent illico au magasin qui jouxte l'église et s'achetèrent la moins chère des guitares, mais une guitare quand même. Guitare : depuis toujours l'ennemie du piano au royaume de la musique. Guitare la discrète, guitare la délicate, guitare la nomade ridiculisant le gros clavier tonitruant et sédentaire !

Sache pour ton information sur la violence potentielle de nos gènes que ces deux garçons, Augustin junior et Alcina, avaient dix et onze ans le jour de l'assassinat du piano.

Dès le lendemain, la gaieté, les éclats de rire et les refrains revenaient dans la maisonnée, une bonne humeur qui dura jusqu'à la mort de l'ex-infidèle et de son tailleur de mari, emportés par le même glissement de terrain au cours d'une promenade main dans la main.

De cette histoire je croyais la conclusion évidente. Je me lançai, sans crainte :

– En tout cas, voilà une malédiction que nous avons évitée !...

Le sourire de mon père ne me disait rien qui vaille. Je continuai pourtant :

– Oui, une chose est sûre : le gène des vies parallèles nous a épargnés. Nous avons toi et moi tous les défauts mais au moins nous ne vivons pas deux amours en même temps ! C'est pour cela que nos compagnes délaissées souffrent et nous haïssent mais nous gardent leur estime. Tu sais bien ce qu'elles nous disent : toi au moins, tu ne m'as jamais menti.

Le sourire de mon père continuait.

– Mon pauvre Éric ! Décidément, tu ne te débarrasseras jamais de cet optimisme touchant mais grotesque. Tu sais ce qu'a fini par me raconter Colette, ta grand-mère, ma mère, juste avant de mourir ?

– Non, mon père, je ne le sais pas ! On peut dire que toi aussi tu as gardé ce secret. Nous ne nous étions pas juré de TOUT nous dire ?

Il haussa les épaules.

– C'était un jour où je me plaignais de mes échecs sentimentaux. Toi, maman, tu ne peux pas comprendre. Avec ton couple si stable, votre mariage si réussi, votre entente donnée partout en exemple... Ma mère, ta grand-mère m'a regardé droit dans les yeux. Je n'ai pas toujours été la vieille dame que tu vois. Dans ma jeunesse, j'étais courtisée. Et alors ? Alors, un beau jour j'ai demandé à ton père la permission. La permission de quoi ? La permission de céder aux avances du plus intéressant de mes prétendants, un grand avocat. Il s'appelait ? Ça, tu ne le sauras pas. Maman, s'il te plaît, continue ! Papa t'a accordé sa permission ? Bien sûr que oui : il me répétait que ma liberté était la qualité qu'il préférait en moi. C'était le moment de le prouver. Et alors ? Et alors, cet amour a duré seize ans ! Seule la guerre nous a séparés. Et papa, pendant ce temps-là ? À lui aussi j'avais donné la permission. Voilà autre chose ! Quelle permission ? Je crois même que j'ai gardé le papier : l'autorisation, en bonne et due forme, de se rendre tous les étés en Allemagne pour prendre un grand plaisir, semble-t-il, avec Hilde, une cousine à lui. La guerre, elle aussi, a sonné le glas de ces retrouvailles. Et vous n'avez jamais pensé à divorcer ? Pourquoi donc ? Et vous vous racontiez ? Juste ce qu'il faut. La liberté, c'est aussi le silence. Voilà, cher, très cher fils Éric, dans quelle famille dépravée tu es tombé !

– Tu crois que les malédictions sautent deux générations ?

– Que veux-tu dire ?

– Toi : des infidélités mais aucune vie parallèle. Moi, d'innombrables départs mais aucune infidélité, aucune vie parallèle. Tu crois que le virus de la vie parallèle pourrait se réveiller soudain et frapper mes enfants ?

– Comment savoir ?

– En attendant, buvons à Cuba !

– Tu as raison. Cuba est responsable.

De même que nous ne sommes pas joueurs, dans la famille, de même nous ne ressentons pas le besoin d'enivrement. Dieu nous ayant fait cadeau de vies passionnantes mais compliquées, enchevêtrées et déchirées à souhait, l'excitation à les vivre nous suffit.

Et longtemps, parmi tous les alcools, c'est le rhum que nous avons le plus dédaigné. Je dois à mon père, toujours lui, de m'avoir fait découvrir le *Diplomático*, la *Zaya*, le *Millonario Solera*... du Pérou.

– Souviens-toi de notre ancêtre, souviens-toi de son émerveillement sur la terrasse du café *Consolacíon* ! Telle est peut-être la seule origine du défaut récurrent de nos amours : le rhum. Le rhum et son parfum de mûre, de gingembre et d'ambre, le rhum et la chaleur qu'il donne au ventre. Je te ressers ? N'aie pas de crainte. Regarde comme le verre est petit. Et toi et moi, nous ne sommes pas du genre à nous saouler.

Nous savons bien qu'il y a bien plus d'ivresse à rester lucides. Vive le Réel, mon fils.

– Vive le Réel, papa !

– Et vive Cuba !

– C'est la même chose !

Peut-être continuez-vous de vous étonner ?

Pourquoi ce père avait-il tellement besoin d'histoires ? Tellement besoin de les entendre ? Tellement besoin de les raconter ?

D'ordinaire, les hommes sont plutôt taiseux. Ils croient, les imbéciles, qu'ils n'ont pas de temps à perdre avec les « il était une fois ». Et que dire, c'est s'épancher, et que les mots personnels sont comme les larmes : juste bonnes pour les femmes.

Pourquoi, chez lui, cette passion du récit ?

L'héritage familial avait sa part. Lorsqu'on descend, comme vous savez, de tellement d'ancêtres latino-américains, on porte dans ses gènes le chromosome du narratif.

Mais les histoires de mon père avaient leur source bien à elles. Et qui venait du silence.

Le silence interminable de deux hivers dans une grande maison vide et glacée.

Dans cette maison, le personnage principal c'est la table immense. Car il n'est pas de vraie famille sans table immense autour de laquelle, l'été venu, l'entièreté de la famille se rassemble pour les repas. Mais justement, c'est l'hiver. Deux hivers.

À un bout de la table familiale immense se tient une très vieille dame revêche et muette.

À l'autre bout, un jeune enfant malade prend bien garde de ne jamais poser ses coudes sur cette table.

Septembre 1931.

Les vacances s'achèvent. Il faut quitter le paradis. En d'autres termes : l'île de Bréhat se vide.

Qu'on soit parents ou enfants, personne ne quitte volontiers le paradis.

Surtout en cette fin d'été 1931.

La crise économique, déclenchée deux ans plus tôt à New York, frappe maintenant l'Europe.

Si les enfants, comme tous les enfants de toutes les époques, ne voient pas d'un bon œil se rapprocher dangereusement l'école et rêvent toutes les nuits que s'éternisent les vacances, les parents de cette fin d'été-là se demandent s'ils vont pouvoir continuer à nourrir ces mêmes enfants.

Les faillites se multiplient. Les usines et les magasins ferment. On débauche à tour de bras. Et Charles Morellet n'a pas encore proposé d'accueillir mon père.

La famille s'est rassemblée sur la calle, juste en bas de la grande maison. Les bagages s'alignent jusqu'à la barrière qui interdit l'entrée du chemin. Une pancarte aux lettres mal peintes avertit : propriété privée. Qui s'en soucie aujourd'hui puisque tout le monde part ? La vedette vient d'entrer dans la baie. Une vedette n'est pas une star de cinéma. Une vedette est un bateau, un bateau assez grand pour transporter jusqu'au continent une famille entière.

La vedette se rapproche. On la reconnaît. Celle-là, c'est *L'Aide-Toi* !

À l'époque, il n'y a pas de touristes. Seulement des estivants. Les vedettes viennent chercher les estivants en bas de chez eux. Il faut bien calculer les marées, les vedettes savent ces choses-là.

La famille embarque.

– Pressez-vous, grogne le marin, la mer baisse.

La famille finit d'embarquer.

Arrière toute.

Les estivants passent leurs étés dans des maisons achetées il y a longtemps par des ancêtres, merci à eux.

La vedette s'écarte, dans un gros bouillonnement d'eau, de sable et de goémons. J'espère que les crabes et les petits poissons de roche pentoupen ont fui à temps.

La vedette s'éloigne.

Sur le quai ne reste qu'un drap de lit blanc qui flotte dans le vent.

Dans notre famille, on aime que s'expriment les sentiments. Surtout la tristesse. On a toujours trouvé les mouchoirs trop petits pour dire au revoir. Les draps c'est mieux. Ils se voient plus longtemps. Et de plus loin.

En ce mois de septembre 1931, l'une des extrémités du drap est tenue par une arrière-grand-mère (quatre-vingt-sept ans). Mamigoz. Elle vit dans l'île « à l'année ».

L'autre bout du mouchoir géant est fermement tenu par un petit garçon de sept ans. C'est mon père.

Frère, sœur, père, mère, cousins, cousines, oncles et tantes, les autres s'en vont. Il reste.

Officiellement pour motif de santé.

On vient de lui découvrir une tache au poumon. Un médecin ami a conseillé le « bon air ». Drôle de médecin ! Drôle d'ami ! Deux ou trois tempêtes hivernales et la tache s'en ira, a-t-il dit, comme elle est venue. Selon lui, très mauvais médecin, aucune tache, même au poumon, ne résiste aux coups de (tabac ?) breton.

La vraie raison de l'abandon, c'est l'économie internationale. Le père de mon père vient d'être licencié. On ne peut en vouloir à son employeur. Il vendait de temps à autre du matériel ferroviaire à l'Amérique latine. L'Uruguay, qui ne trouve plus preneur pour sa viande, n'a plus les moyens de remplacer ses locomotives. Quel rapport avec mon père et avec l'île de Bréhat ? Un enfant confié à une ancêtre, c'est une bouche de moins à nourrir.

Le petit garçon et la vieille dame replient le drap, la vedette a disparu. Mon père ouvre la barrière. Propriété privée. Ils remontent vers la grande maison.

La vieille dame n'aime pas l'électricité. C'est mauvais pour les yeux.

Le tête-à-tête commence, de part et d'autre d'une lampe à pétrole.

Au lieu d'une chambre, mon père a choisi le dortoir, la pièce commune où, l'été, s'entassent douze jeunes, voire quatorze, les frères et sœurs et cousins, cousines, tous ceux qui sont partis sur la vedette.

– Mais tu seras tout seul !

– J'imaginerai qu'ils sont là.

Et mon père grimpe sur le deuxième étage d'un lit superposé.

– De là, je les surveillerai mieux.

La vieille ne parle pas.

Pourtant elle a encore sa langue et la plupart de ses dents.

La vieille ne raconte pas d'histoires.

Pourtant, à son âge, elle doit toutes les savoir.

– Mamigoz, c'est vrai qu'on vient de Cuba ?

– Du côté de ton grand-père, pas de chez nous.

– Mamigoz, où c'est Cuba ?

– De l'autre bord de l'Atlantique.

– Vers le Mexique ?

– C'est ça. Bien trop loin pour toi. Bien trop loin pour des chrétiens. Et maintenant, tais-toi. À table, les enfants ne parlent qu'à leur tour. Et leur tour n'arrive jamais.

La vieille n'embrasse pas.

La vieille dit toujours qu'on mange trop.

La vieille dit que chauffer ramollit.

Alors on frissonne.

Dommage qu'elle ait ces drôles d'idées parce que, pour une vieille, elle sent bon.

Elle doit se laver beaucoup.

La vieillesse est une saleté.

On s'ennuie.

On frissonne peut-être plus d'ennui que de froid, comment savoir ?

La vieille a dû menacer l'horloge, le temps ne passe pas.

Heureusement que la nuit tombe parce que s'il fallait compter sur les heures...

L'automne finit par laisser sa place à l'hiver. Puis, à force d'attendre, voici le début du printemps qui est pire que l'hiver car toute l'humidité ressort, celle qui s'est accumulée dans les murs de granit, dans les draps, dans les yeux.

＊
＊ ＊

— Et alors, papa ! tu n'as pas employé ta
« méthode de la pêche à pied » ?

— Éric, rappelle-toi ! Je n'avais que sept ans.
Marianne, la cuisinière, m'a sauvé. Elle était
venue de Quimper préparer nos absences de
repas : un filet de lieu, deux pommes de terre
à l'eau. Les beaux jours revenus : un filet de
maquereau, dix haricots verts. Le dimanche : un
steak gris, quinze frites, pas une de plus.

Cette gastronomie simplifiée lui laissait du
temps pour raconter des histoires à mon père. Ils
devaient se cacher car Mamigoz rôdait. Pour elle,
les histoires étaient pires que le chauffage, pires que
l'électricité, pires que la nourriture trop « riche ».
« Les histoires sont les ennemies du bon Dieu. »

— Tu vois bien, j'aide Marianne !

C'est le subterfuge qu'avait trouvé mon père,
participer aux travaux de la cuisine.

Mais rien n'est moins long à préparer qu'une
absence de repas. Pour tenir jusqu'à la fin de
l'histoire, Marianne et mon père ralentissaient,
ralentissaient leurs épluchures.

Je vois leurs silhouettes penchées sur l'évier, le
large dos de la cuisinière, dans son tablier noir, la
frêle silhouette de mon père, pull-over et short

244

marine, chaussettes blanches, tire-bouchonnées sur ses jambes trop maigres.

– Tu sais, mon fils, Marianne ne racontait jamais « en l'air ». Toutes les histoires lui étaient « arrivées ».

– Tu peux me donner un exemple ?

– Facile, j'ai sa voix dans l'oreille. J'ai même souvent du mal à la faire taire. De plus en plus de mal ces temps-ci.

« Un soir tard que je m'en revenais du travail, un repas de fêtes à Penharn, j'ai vu au loin une charrette qui s'avançait vers la ferme Le Garrec, un homme s'y tenait debout, maigre à grand chapeau. Un autre marchait en tenant le cheval. Un troisième plus en avant ouvrit la barrière. La suite je ne te la dirai pas car tu risquerais beaucoup à l'entendre. Et d'ailleurs je n'ai rien vu. Car j'avais déjà pris mes jambes à mon cou. L'essieu de la charrette grinçait, d'une manière, d'une manière… que j'ai cru mes oreilles percées. Le matin, ce n'était que pleurs à la ferme Le Garrec. Leur fille cadette était morte. Comme je suis curieuse, et plus curieuse que peureuse mais je t'interdis bien de m'imiter, je suis retournée au chemin, les traces étaient là.

– Quelles traces ?

– Des traces de roues, tu penseras ce que tu veux, moi je te dis ce que j'ai vu de mes yeux vu, aucune autre charrette ne passe jamais par là.

– Alors, Marianne, qui c'était, le conducteur de la charrette ?

– Tu parles breton ?

– Tu sais bien que non.

– Si tu veux comprendre les choses de chez nous, il faut t'y mettre. Dans notre langue, Anken, c'est l'oubli. Et Ankoun, le chagrin.

– Tu ne m'as pas répondu. C'était qui le conducteur de ta charrette ?

– D'abord, ce n'était pas *ma* charrette, sainte mère de Dieu. Ensuite, tu es bête ou quoi ? Chagrin plus oubli, c'est quoi ?

– Je ne sais pas, peut-être la mort ?

– Bravo. Le petit Parisien a trouvé : l'Ankou. Maintenant, montre-moi ces pommes de terre. C'est bien ! Tu commences à moins gâcher. »

*
* *

– Papa, on dirait du García Márquez, du Asturias.

– Normal, mon fils. Les histoires viennent de la nuit des temps. Avant, bien avant la dérive des continents. Avant, bien avant la triste victoire de la Raison raisonnante.

Les dernières semaines, Françoise appela souvent.

– Éric, votre père et moi allons nous séparer.

– Oh, ne faites pas ça ! Que se passe-t-il ?

– Votre père s'est brusquement souvenu que j'étais biologiste.

– Et alors ?

– Alors, il me torture de questions.

– Quel genre de questions ?

– Vous savez bien, son obsession, son cauchemar, votre soi-disant malédiction familiale.

– Et alors ?

– Il se rend bien compte que toutes ces explications cubaines ou bréhatines ne valent rien. Maintenant, il veut savoir. Un savoir rigoureux, scientifique. Et bien sûr, ça tombe sur moi. Un gène, un chromosome, un noyau de cellule, ça va encore, je peux expliquer. Mais il veut toujours plus : qu'est-ce qu'une protéine, au fond ? Et un allèle ? Et cette histoire de brassage génétique ?

– Justement, Françoise, vous ne pourriez pas me donner les bases, un jour ? Quelques schémas élucidant les origines de la vie, ça ne vous prendrait qu'une heure !

– Éric, arrêtez !

– C'est émouvant, non, cette volonté d'enfin comprendre, à son âge, à notre âge. Un jour, je pourrai assister à vos cours ?

– Jamais ! Il y a des livres pour ça, des universités pour seniors…

– Françoise, une question.

– Une seule. Le réparateur ne va pas tarder à arriver, pour la tondeuse à gazon.

– Le gène des amours impossibles, il existe ?

– Aussi fou que son père ! Le gène des yeux bleus, on sait le retrouver. Mais celui d'un amour, comment voulez-vous ? D'abord, qu'est-ce que l'amour ? Et celui de l'impossibilité ? Qu'est-ce que l'impossibilité ?…

– S'il vous plaît, Françoise, encore une minute. J'ai appris que pour déclencher une maladie, il faut le plus souvent que se combinent plusieurs gènes. Pour notre cas, ce serait le gène de la passion des voyages allié au gène de la curiosité allié au gène de la timidité surmonté par le gène du culot…

– Arrêtez, s'il vous plaît, arrêtez. Je croirais entendre votre père. Encore plus obstiné donc encore plus fou.

– Bon, bon, je vous laisse, Françoise, merci d'avoir appelé. Mais avant jurez-moi...

– Quoi donc ?

– De ne jamais quitter mon père.

– Jurer sur quoi, sur qui ?

– Je ne sais pas, moi, le réparateur de tondeuse ou vos trois petits-fils.

– Je le jure. Jamais, jamais je ne quitterai votre père. Et vous savez pourquoi ?

– Je devine, Françoise.

– Hélas, il est trop beau, de plus en plus beau. Car, depuis quelque temps, je vois deux beautés en lui. Celle d'aujourd'hui. Et s'y superpose celle de sa jeunesse.

– Vous voyez, Françoise, encore une histoire de temps.

– Éric, ne recommencez pas !

– Il faut vous y faire, Françoise. Vous êtes scientifique. ET poétique.

– Je sais trop bien de qui vous tenez ce genre de phrases.

– Vive la génétique !

– Pléonasme, Éric.

– Comment ça ?

– Je vous expliquerai la prochaine fois. Je vous embrasse.

– Ça y est, j'ai compris : la vie engendre la vie. Moi aussi, je vous embrasse, Françoise.

Un jour, mon père est tombé. Pourquoi avait-il lâché le bras de Françoise ? Ils visitaient ensemble les alignements de Carnac. Il est tombé au milieu des menhirs. Je continue mes questions. Pourquoi tant de pierres réunies là, plus de trois millénaires avant J.-C. ? Certains veulent y voir des soldats romains pétrifiés.

Les nazis se passionnèrent pour le site. Dès leur invasion de la France, dès septembre 1940, ils y menèrent plusieurs missions, avec l'appui de la Luftwaffe pour des vues aériennes. Il s'agissait de prouver « l'indo-germanisation » de l'Europe par des populations venues du Nord en bateaux.

Quoi qu'il en soit, c'est là, entre les pierres et les légendes, que mon père est tombé.

Nous avons décidé de le transporter de l'autre côté de la Bretagne, près de chez nous. Dans un centre qui répare les cassés.

Il n'y avait qu'une place dans l'ambulance. Nous avons tiré au sort. Pile ou face ? J'ai gagné. Certaines nuits, je revois encore dans ma paume la pièce de deux euros, la couleur jaune du centre, la couleur grise du pourtour. Mon frère et ma sœur sont restés sur le trottoir de Vannes. Je voyais bien qu'ils se disaient : Éric a triché. Vieux procès. J'attends toujours des preuves.

Cela dit, je vérifiais, une fois de plus, le cauchemar de vivre dans une famille dotée d'un écrivain : ce genre de prédateur se nourrit de tout, et surtout du glauque, de l'inavouable, il recycle, à sa guise, il empire ou enjolive car c'est lui qui raconte. Il faudrait bien que je finisse un jour par accepter cette désagréable évidence : je n'avais pas, je n'avais jamais eu et jamais je n'aurais le monopole de l'amour de mon père. Ma sœur et mon frère avaient eu aussi leur Flottille, leurs rituels de rencontres. Des trésors secrets qui disparaîtraient avec eux. Et si le secret conservait mieux la vérité que le récit qu'on en fait ? Et si les mots, même les mots les plus justes, les plus soigneusement choisis, avaient pour effet de l'édulcorer, cette vérité, ou de la travestir, inévitablement, pour les besoins du narrateur ? Questions dérangeantes pour l'écrivain de la famille.

*
* *

La route a pris du temps pour s'extirper de la laideur néo-bretonne. Petites villes ou gros villages, même habitat sinistre, mêmes pavillons mornes, toits d'ardoise, façades blanches, huisseries de plastique, linteaux de granit...

Heureusement mon père ne regardait pas. Il avait fermé les yeux. J'aurais dû lui prendre la main. Enfin, nous avons atteint la forêt.

Et comme par contagion, la radio s'est mise à devenir intelligente. Jusqu'alors le conducteur, un jeune sec à manches courtes, pour bien montrer ses tatouages sur l'avant-bras, nous avait imposé *NRJ*, un flot ininterrompu de chansons tellement semblables qu'on ne distinguait plus leur langue : français, anglais, espéranto ? L'équivalent musical de l'immobilier néo-breton. Ainsi va la vie. Avant trente ans, on écoute *NRJ*. Après, on prend un crédit pour se loger comme les voisins. La docilité vient par l'oreille. Ainsi philosophais-je. C'est ma manière de somnoler.

Le voisin de notre chauffeur, un Noir à cheveux gris, n'a plus supporté *NRJ*. D'autorité, il a changé de station, puis résisté aux protestations de son collègue.

La voix précieuse et précise du comédien Guillaume Gallienne s'est invitée dans l'ambulance.

Il lisait Aragon :

Toutes les chambres de la vie au bout du compte sont
Des tiroirs renversés

Un soir d'aubépines en fleurs aux confins des
parfums et de la nuit
Un soir profond comme la terre de se taire
Un soir si beau que je vais croire jusqu'au bout
Dormir du sommeil de tes bras
Dans le pays sans nom sans éveil et sans rêves

Régulièrement, quelqu'un répétait le titre de l'émission « *Ça ne peut pas faire de mal* ».

Je me suis surpris à hocher la tête car j'étais bien d'accord. Oui, Aragon, ça ne peut pas faire de mal.

Soudain, j'ai sursauté.

« *C'est drôle. Bien des femmes ont été folles de moi. Je n'ai jamais aimé que les autres. Celles qui aiment se laisser aimer. Celles qu'on ne pourra jamais avoir. Celles des bras de qui l'on sort comme d'un rêve, pas si sûr que cela jamais ait pu se produire. Celles d'un regard qui réta-blissent la distance infranchissable...* »

Toujours Aragon, toujours Guillaume Gallienne. Mon père avait-il entendu ? Dormait-il toujours ou s'obligeait-il à faire semblant pour ne pas m'obliger à prendre soin de lui ? Je penchais plutôt pour cette délicatesse qui était bien dans sa manière.

« ... *Celles dont on n'est jamais certain qu'elles diront quand se revoir ou si elles viendront aux rendez-vous qu'elles donnent. Celles dont on sait toujours qu'elles n'ont que permis, que daigné... que, pourquoi ce jour-là, mon Dieu, pourquoi, supporté ma folie ? Les femmes qu'on n'aurait pas le droit après de reconnaître ou de saluer d'un simple clin d'œil. Qui me donnent le sentiment que tout fut par erreur, ennui, lassitude, inattention peut-être.*
Les femmes de l'impossible. »

Mon père a souri. Il pensait forcément à ses conquêtes. Jamais je ne l'avais vu si beau.

Il n'a pas ouvert les yeux. Il a cherché ma main. Il murmurait. Je me suis penché. Sa voix était plus pâle encore que son visage.

– C'est joli, Aragon. mais on s'en moque, hein, mon fils ? Tu as Isabelle, j'ai Françoise. Nous avons vaincu la malédiction familiale.

J'ai hoché la tête.

– Oui, papa. Nous avons fini par gagner. Tu peux te reposer. Nous réussissons...

Il s'est arrêté. Des larmes lui coulaient sur les joues.

– Nous sommes parvenus à aimer.

Je crois que, cette fois, il s'est endormi pour de bon.

D'ailleurs, on annonçait le générique.

« *Ça ne peut pas faire de mal* ».

J'ai failli demander qu'on aille, tant qu'à faire, saluer le lac de Guerlédan tout proche, bien connu pour l'état sauvage de ses rives et pour la qualité des compétitions nautiques qu'il accueille. Mon père y avait mené tant de jeunes rameurs... Je me suis dit à temps que la Sécurité sociale n'a pas donné pour mission, même annexe, aux ambulanciers de cultiver la nostalgie.

Au centre de Réparation, la chambre 29 venait de se libérer. Dans un hôpital, il vaut mieux ne pas trop demander la raison pour laquelle une chambre « se libère ». L'avantage de la 29, c'est qu'elle donne sur les Sept Îles. D'aussi loin, grand menteur serait celui qui affirmerait voir l'œil bleu des fous de Bassan. Mais sur Rouzic, l'île la plus à l'est, des milliers et des milliers d'oiseaux forment une immense tache blanche.

J'ai fait remarquer à mon père un autre avantage de la 29 : si tu te dresses un peu, même assis, tu vois la plage.

– J'avais noté.

– Dommage qu'il ne fasse pas trop beau.

– Les bikinis, c'est vulgaire. Tu sais bien que j'ai toujours préféré les jeunes mères en cirés.

Il a cligné de l'œil, il voulait me faire plaisir, me rassurer sur sa santé, tu vois, je suis toujours gaillard.

Lorsque le docteur Damien Baron s'est présenté, mon père l'a reçu avec ce charme et cette gentillesse qui le faisaient aimer de tous, hommes et femmes et pas seulement dans les « milieux de l'aviron ». Il a dit sa gratitude (merci, oh merci pour cette chambre). Mais quand le docteur a commencé à examiner les radios, mon père, avec douceur, l'a prié de bien vouloir s'écarter de la fenêtre, le spectacle de la mer me fait tellement de bien. A-t-il entendu le diagnostic ? « Étrange qu'ils n'aient rien vu, à Vannes, fracture de l'épaule, bien sûr, mais vous avez aussi une petite fêlure du bassin, allez, qu'est-ce que trois mois chez nous ? Puisque vous aimez la chambre. »

Tout de suite, la certitude me vint que cette fêlure avait une cause bien plus lointaine que cette chute imbécile parmi les pierres dressées de Carnac. Et, regardant mon père sourire de nouveau, je sais que la même explication lui était venue.

Depuis longtemps il se plaignait de douleurs. Tous les médecins avaient diagnostiqué une bonne petite arthrose des hanches, que l'imagerie n'avait pas confirmée.

Un jour, peut-être lors de notre dernier déjeuner à La Flottille, je lui avais soumis mon hypothèse :

— Je crois que tu paies ta passion de toute ta vie pour les femmes. Et plus précisément pour les passantes.

— De quoi parles-tu ?

— De tes douleurs.

Je me souviens. Le chef de rang se tenait devant nous tout marri.

— Pardon, messieurs, j'ai vendu toutes mes soupes à l'oignon.

— Ça ne fait rien, Georges. Apportez-nous des blanquettes. Mais sans vous presser. Mon fils est en train de m'expliquer ma vie.

— Comme vous avez de la chance !

Notre ami reparti vers les cuisines, mon père me posa la main sur le bras.

— Il a raison, j'ai de la chance. Même si mon romancier de fils invente souvent n'importe quoi. Allez, je t'écoute.

— Toutes ces femmes, ces milliers de femmes que tu n'as jamais pu t'empêcher de suivre des yeux.

— Et alors ?

— Tu as beau jurer à qui veut bien te croire que cette passion pour les passantes n'a jamais été qu'esthétique, que jamais au grand jamais tu n'aurais quitté ma mère...

— Je confirme.

– Quelque chose me dit que beaucoup de ces femmes, tu aurais bien voulu les suivre.

– Et alors ?

– Tu esquissais le mouvement. Et je ne sais pas quoi te retenait.

– L'amour de ta mère.

– Quoi qu'il en soit, tu t'écartelais, chaque jour un peu plus. Et voilà pourquoi mon père souffre du bassin.

Les blanquettes arrivaient.

– Je ne viens pas trop tôt ? dit Georges.

– Juste à point. Ça y est : je vois clair en moi.

– Quel fils vous avez !

– Vous pouvez le dire ! Méfiez-vous quand même des romanciers.

Mon père souriait.

Mon père hochait la tête. Mon père multipliait les mercis. Merci pour la chambre 29. Merci pour l'île Rouzic. Merci pour le bord de la mer.

L'avantage d'un cercueil, c'est de concentrer l'attention. Dans l'église, on ne voit que lui. Personne n'oublie le héros de la fête.

Et moi, ce jour-là, je ne voyais rien que l'autel et le chœur vide et la petite lampe rouge, sur la droite, proclamant, non sans clignotements, la Présence Réelle du Christ.

Où se trouvait donc l'urne contenant les cendres de mon père ? Je ne me rappelais plus qui en avait pris la responsabilité.

J'aurais bien voulu l'avoir sous les yeux. Je parlais beaucoup à mon père depuis sa mort.

La messe commença.

De ma place, premier rang sur la droite, la main droite de mon fils posée sur mon bras gauche, la paume gauche de ma fille se promenant entre mon épaule droite et ma joue, je ne voyais pas Françoise, premier rang sur la gauche, entre mon frère et ma sœur.

259

Depuis la veille, ma famille n'arrêtait pas de lui dire notre gratitude.

Merci, Françoise, d'avoir si bien accompagné notre Claude durant les dernières années de sa vie !

Merci d'avoir compris les raisons de son départ, après le mariage de son fils ! Pour nous, il reste incompréhensible.

Merci d'avoir aimé comme lui l'aviron. Si vous saviez comme sa femme s'en moquait.

Merci d'avoir appris pour lui la peinture moderne.

– Mais je m'intéressais à l'art avant de rencontrer Claude, répétait Françoise.

– Vous vous prépariez ! Lui et vous, c'était inscrit, ma chère Françoise !

Merci de lui avoir donné la paix.

La cérémonie continuait.

Malgré tous mes efforts, mon esprit s'évadait.

J'avais beau me donner des excuses, « il manque le cercueil », je m'en voulais. J'aurais dû ne penser qu'à mon père. C'était le moment ou jamais. Pourtant je m'échappais. Je m'échappais. Je parvenais quelques instants à revenir au défunt. Et de nouveau, je m'évadais.

Françoise.

C'est elle qui m'occupait trop.

Je savais bien la cause de sa présence, intempestive, dans ma tête : un regard, le regard qu'elle m'avait lancé lorsque tout le monde s'était retrouvé sur le parvis de l'église. Personne n'osait entrer. Comme si nous ne pouvions franchir la porte que tous ensemble. Alors nous attendions les retardataires. Mais comment savoir qui va venir ? Depuis l'hiver qu'il y avait passé avec son arrière-grand-mère, mon père connaissait l'île entière, et pas seulement les touristes. Mais l'île entière l'aimait-elle autant qu'il l'avait aimée ?

Françoise, à ce stade de sa vie il vaut mieux dire la quasi-veuve, se tenait au centre de la petite foule, tantôt embrassant celles et ceux qui l'avaient déjà adoptée, tantôt serrant la main des gens qu'on lui présentait, voici Françoise, la compagne du malheureux Claude, oh, il m'avait tant parlé de vous !

Et c'est alors qu'elle m'avait souri. Un sourire qui résume cette histoire. Décidément les mots, pour raconter, n'ont pas le monopole.

Et voici ce qu'il disait, ce sourire.

Oh, Éric, quel bonheur de vous voir et quelle tristesse de vous retrouver là. Vous vous souvenez de notre dernier déjeuner ensemble à La Flottille ? Votre père avait encore toute sa force, vous vous rappelez comme il était joyeux de vous parler et de vous voir si bien avec Isabelle. Mon Dieu, que de gens ! Que de gens pour votre père ! Vous vous rendez compte ? Comme on l'aimait ! Qui ne l'aimait pas d'ailleurs ? J'espère que nous aurons un moment tranquille après, mon Dieu, quel mot terrible « après ». Après quoi ? Je ne vois pas votre Isabelle. En vous aimant elle a donné tellement de bonheur à votre père. Timide comme je la connais, elle doit se tenir cachée quelque part, oh comme je la comprends, ça y est, il faut que j'embrasse un oncle à vous, pardon, et ces deux mains qui se tendent vers moi, l'instituteur et sa femme, c'est le fils de celui qui dirigeait l'école, vous savez, lors du terrible hiver 1931, comme c'est émouvant, à tout à l'heure, oui à tout à l'heure, cher Éric.

Chère Françoise ! Quelle belle personne intelligente et généreuse et si discrète. Comme elle devait souffrir d'occuper, par la malignité du destin, un rôle central.

Chère quasi-veuve, comment lui annoncer l'autre triste nouvelle : l'absence de ma femme ?

Au fond, mon père et ma femme se ressemblaient.

Même cadeau du ciel : leur beauté ! Même besoin frénétique de séduire, allié aux mêmes tortures de la timidité. Même douleur dans l'enfance. Jusqu'à cette même absence en ce jour solennel.

Sauf que mon père pouvait invoquer la force majeure.

Une circonstance des plus atténuantes, vous en conviendrez, mais que tout tribunal digne de ce nom aurait rejetée pour Isabelle.

– Je ne vais pas venir.

– Pardon ?

– Éric, je ne vais pas venir à l'enterrement de ton père.

– Tu peux répéter ?

– Tu as entendu. Je suis dévastée.

– En attendant, c'est mon père qui est mort.

– Ça me rappelle trop le mien. Tu ne peux pas comprendre.

– Et toi, peux-tu comprendre que j'ai besoin, besoin de ma femme en ce moment ?

– Je serais trop mal. Tu veux que je m'évanouisse dans l'église ? C'est le spectacle que tu veux ? Ça ne m'étonnerait pas avec ton souci des médias. Tu as invité des journalistes ?

De ma vie, je crois bien n'avoir jamais frappé une femme. Cette fois-là, ma main droite s'est levée. J'ai eu toutes les peines du monde à l'empêcher de poursuivre le geste violent qu'elle avait prévu.

– Quand un homme est marié et que cet homme a le malheur de perdre son père...

– Pas besoin de continuer.

– ... la place de la femme est à côté de son mari.

263

– Toujours tes idées générales ! Quand donc te préoccuperas-tu de moi ?

Qui aurait pu imaginer qu'à peine deux ans plus tard cette violence, cet affrontement de deux solitudes à vif, oui, qui aurait pu prévoir que ce caillou de haine se métamorphoserait soudain en confiance, en bienveillance, en bonne humeur, en joie d'être ensemble, sans cesse renouvelée, bref en amour véritable ?

*
* *

Cacher la présence de quelqu'un, rien de plus facile.

Mais comment voulez-vous cacher une absence, surtout s'il s'agit d'un premier rôle, en l'espèce la femme de l'aîné des orphelins ?

Où est donc cette Isabelle ?
Vous l'avez vue, vous ?

Françoise n'était pas la seule à s'interroger.

C'est donc vrai ce qu'on raconte ?
Leur couple bat de l'aile.
Et si elles battaient encore, ces ailes, ça voudrait dire qu'il y a encore de l'espoir.
Mais là...

N'être pas venue à l'enterrement de son beau-père !

Il paraît qu'elle l'aimait bien, pourtant.

Cette femme est peut-être trop malheureuse.

Ou trop égoïste.

C'est pareil.

Pardon, mon père !

Le dernier adieu que nous t'avons adressé dans l'église de Bréhat a manqué de la ferveur et de la concentration que tu étais en droit d'attendre. Peut-être que je me hausse un peu du col, peut-être que je suis bien moins présent dans la tête des gens que je ne le pense, mais il m'a semblé qu'on a beaucoup chuchoté sur mon couple tout au long de la cérémonie.

Et moi, pour me donner une contenance, je regardais les bateaux ex-voto. Ce sont trois maquettes naïves qu'on a pendues derrière le chœur. Elles remercient Dieu d'avoir épargné du naufrage quelques marins.

Chaque année on parle de les décrocher. Pires que la vieillesse, la poussière ou l'humidité, les oiseaux les attaquent et leur causent de graves dommages. Preuve, si nécessaire, que la jalousie n'est pas un monopole de l'espèce humaine.

Ma sœur avait dû me prévenir. À un moment ou à un autre, nous avions forcément évoqué les « dernières volontés » de notre père.

Je n'avais pas dû écouter. Parmi mes défauts, j'ai celui d'avoir trop souvent l'esprit ailleurs, un peu trop loin pour entendre.

Pauvre papa ! Ces « dernières volontés », lui qui avait si peu voulu dans sa vie. Ballotté par les uns, par les autres. On comprend qu'il ait tant aimé l'aviron. Les bateaux au moins, ça se dirige.

Alors, quand nous sommes sortis de l'église, je me suis tout naturellement dirigé vers le petit port. Je croyais qu'on allait embarquer pour jeter les cendres quelque part sur la mer. Par exemple à l'embouchure de la rivière Trieux, où la lumière est si belle et si changeante qu'au moment de l'impressionnisme, les peintres venaient de partout pour tenter de la saisir.

Je me disais que peut-être, un jour, un impressionniste reviendrait à Loguivy ou Lézardrieux. Dans son portrait de cette lumière insaisissable, la lumière de cette rivière Trieux, il ajouterait mon père. Personne ne le verrait, que moi.

On m'a rappelé à l'ordre :

– Éric, Éric !

– Mais où allez-vous ?

– Au cimetière, voyons !

*
* *

Je rejoignis le cortège qui traversait déjà le premier cimetière, celui qui entoure l'église et n'a plus aucune place à offrir.

Honteux de m'être fait tant remarquer, je m'interdis de regarder les tombes. Le moindre nom suivi des dates peut m'entraîner dans des imaginations où je perds tout contrôle.

Mais comment échapper à la liste des jeunes hommes tués aux quatre coins du monde entre 1940 et 1945 ?

André Coumy	en mer
Gustave Le Roux	en mer
René Cornu	en mer
Marcel Le Gwen	Marne
Pierre Le Carrères	Aviateur
Joseph Collen	en mer

Georges Paranthoen	Égypte
Émile Le Roux	Disparu
Robert Vendeuil	Tunisie

Une petite voix intérieure m'engueulait :

– Voyons, Éric, il s'agit de ton père, Éric, et pas des autres morts, même s'il a désormais rejoint leur royaume.

Croyez-le ou non, je lui répondais.

– Il serait bien pour lui de prendre contact avec eux, non ? Puisque ce sont ses nouveaux camarades. Il se sentira moins seul. Si on a un moyen de lui faire passer le message…

Pour atteindre le second cimetière, nous avons longé à main gauche la maison du pirate (cette fois, Éric, tu as le droit de t'évader un peu : n'est-ce pas ton père, justement, qui te racontait des histoires de pavillon noir, de Borgnefesse, de Capitaine Crochet et de tous ces Anglais joyeusement et légitimement massacrés ?). Puis nous avons laissé sur la droite la station d'épuration (s'il te plaît, Éric, pas de philosophie hâtive, pas de divagation sur l'économie circulaire, c'est ton père le sujet, pas l'insoluble problème de l'assainissement dans les sites touristiques saisonniers).

Le bref parcours s'achevait.

Quelques pas encore, sous les tilleuls.

L'autre champ de tombes nous attendait.

Je suivais Françoise des yeux. Elle s'était écartée. Elle marchait lentement le long des tombes, s'arrêtant presque devant chacune. Peut-être voulait-elle savoir quels seraient désormais les camarades de mon père ? Elle aussi faisait provision de noms. Esun (Fernand, Marguerite, Loïc, Jacques, Olivier), Allain Guillaume, Cleuziart, Lagatdu, Floury, Moreux... Je pourrais les réciter tous.

Nous avons aussi à Bréhat nos soldats inconnus, salués par de grandes pierres blanches plantées sur du gravier.

> **A SAILOR**
> **OF THE**
> **39 – 45**
> **WAR**
> **Royal Navy**
> **†**
> 28th December 1943
>
> Known unto God

Les inscriptions sont toutes les mêmes. *Known unto God*, seules les dates changent, *22nd November 1943, 15th February 1944.*

Françoise a fini par rejoindre une sorte de terrasse surplombée, juste de l'autre côté du mur, par la maison du docteur. Cette proximité avec le cimetière m'a toujours semblé pertinente. Elle nous rappelle le peu d'illusions qu'il faut avoir sur l'efficacité de la médecine. Au-delà, on voit la mer.

J'ai hésité et puis je l'ai rejointe.

– Merci Éric, je n'y croyais pas.

Elle m'avait dit merci.

– Merci, mais de quoi ?

– Merci pour votre père. Il a eu bien froid, les derniers mois. L'amour que vous aviez pour lui l'a réchauffé.

Si cette dame continuait sur ce ton, j'allais de nouveau pleurer.

– Il me semble au contraire l'avoir abandonné. Heureusement que vous étiez là. Quand le voyais-je ? Une fois par mois ? Qu'est-ce qu'une fois par mois ?

– Peut-être, mais vous lui avez écrit pendant son absence. Personne de nos jours n'écrit plus à ses vieux parents. Chacune de vos lettres était une fête. Ça, on peut dire qu'il s'est délecté de vos mensonges.

La foudre m'est tombée sur la tête.

– Vous voulez dire…

– Et moi aussi, d'ailleurs, je me suis régalée. Je dois vous avouer que, très vite, il m'a tout lu.

Comme vous racontez bien l'amour ! Avec de si savoureux détails...

– Mon père avait donc deviné ?

– Impossible à savoir. Peut-être que non. Il voulait tellement croire à votre bonheur conjugal. Et dans votre famille, la volonté c'est quelqu'un !

– Mais vous, quand avez-vous deviné ?

– Oh, très tard, il n'y a pas une heure. Sur le parvis, quand je vous ai vu seul. Un jour comme aujourd'hui, si une femme n'est pas aux côtés de son mari, c'est qu'elle est morte. Ou qu'elle n'est plus la femme de son mari. Donc vous mentiez.

Que voulez-vous que je fasse ? J'ai salué son raisonnement.

– Oh, ma logique, comme vous dites, agaçait beaucoup votre père. Qu'est-ce qui lui a pris, lui le Celte, le Cubain, lui l'ennemi de la Raison Raisonnante, comme il disait, oui, qu'est-ce qui lui a pris d'aller chercher une scientifique ? D'ailleurs m'avait-il vraiment prise ?

Le petit rire qui l'avait d'abord secouée s'acheva sur un bref sanglot. Ce n'était pas le genre de femme à se répandre. Elle se reprit vite. D'ailleurs, les goélands continuaient de planer en ricanant au-dessus des tombes. C'est l'avantage des cimetières marins. Les oiseaux se moquent de vous. On se sent très vite tout bête à pleurnicher.

Je lui ai demandé quand elle comptait repartir.

– Tout de suite après.

Et avec une précision très scientifique (celle-là même qui horripilait mon père au lieu d'y voir la structure fragile à laquelle cette femme se raccrochait), Françoise me récita, étape par étape, le plan de son voyage.

Vedette (départ à 11 heures).

Car, juste devant l'embarcadère (départ à 11 h 30).

Micheline à Paimpol.

Correspondance à Guingamp.

Je ne pus m'empêcher de l'interrompre.

– Pourquoi si vite ? Ma famille vous attend ce soir, au moins pour le dîner. Ma famille vous apprécie vraiment beaucoup.

– Votre famille m'oubliera vite. Autant commencer sans tarder. Éric ?

– Oui ?

– Je voulais vous dire. Surtout, continuez à mentir. Vos mensonges font du bien à beaucoup de gens.

Je lui ai proposé de l'accompagner. Au moins jusqu'au bateau. Elle n'a rien voulu savoir.

– Je dois graver en moi deux ou trois souvenirs.

Elle avait déposé son bagage à la boulangerie Dubreuil, des amis de mon père. Je les ai vues disparaître dans la montée de la poste, elle et sa toute petite valise à roulettes.

L'urne de mon père était là, posée sur le bord de la tombe ouverte. Plus tard, quand tout le monde serait parti, on la descendrait aux pieds de sa mère puisque telle était sa dernière volonté. Et on refermerait le couvercle.

Je me souvins d'une conversation avec cette grand-mère, celle-là même qui aujourd'hui reposait sous les fleurs. Je devais avoir dix ans.

– Mamie, tu crois qu'un jour tous les morts ressusciteront ?

Elle ne me répondit pas tout de suite. Elle me regardait, étonnée :

– Mais bien sûr, je le crois. Tu as oublié ton catéchisme ?

– Tu le crois vraiment ?

– Éric, qu'est-ce qui t'arrive ? Bien sûr, je le crois. De tout mon cœur. C'est comme ça que je retrouverai ton grand-père.

– Mais tous les morts ressuscités, ils s'installeront où ? À Cuba ?

– Jamais, tu m'entends ? Jamais ! Jamais ! Qu'est-ce que t'a encore raconté ton père ?

– Pourquoi pas Cuba ?

– Parce que Cuba, c'est l'île du Diable !

Je me rappelle : ma grand-mère enjouée, si vivante, si gourmande de tout, cette exclamation morale m'avait sidéré. Et mon père ne m'avait pas encore raconté la seconde histoire d'Augustín, l'origine du goût familial pour les amours parallèles.

Bréhat continuait de défiler, et chacun, l'air grave, inconsolable, jetait une agapanthe. Laquelle est notre fleur locale. Notre fierté, l'un des éléments de notre blason avec le homard et le microclimat. Il s'agit d'une longue tige que surmonte une grosse boule bleue (plus rarement blanche). Mon pauvre père ! Lui qui, au grand désespoir (voire à l'aigre mépris) de ses femmes successives, se désintéressait totalement des jardins ! Il allait disparaître sous des feuilles et finir en compost, étouffé par des parfums trop forts. Je le connaissais, il devait regretter un peu de n'avoir pas été dispersé au-dessus de la mer, de ses flots dansants. Mais c'était son choix, sa « dernière volonté » : retrouver sa mère. L'avoir toute à lui.

Je n'écoute pas toujours. Peut-être pour mieux entendre.

Maintenant, à toi de raconter, maman. Ce ne sont pas les histoires qui manquent. L'histoire de la charrette aux roues qui grincent, tu peux t'en passer puisque l'Ankou, la mort, nous a rattrapés. Mais pourquoi pas l'histoire de l'esprit du rivage ? Ou l'histoire de la ville engloutie, l'histoire du vendeur de larmes, l'histoire du jardin des voix ? Et si tes sources bretonnes s'assèchent, appelle au secours les cubaines, ou tes souvenirs personnels. Au point où nous en sommes, pourquoi craindre le diable ? Aurais-tu rayé de ta mémoire ta longue romance avec l'avocat parisien ? S'il te plaît, n'oublie aucun détail, ne te prive d'aucune digression. Il était une fois. Plus personne ne nous dérangera. Nous avons tout le temps. Surtout s'il s'agit d'amour.

Histoire du monde en neuf guitares,
accompagné par Thierry Arnoult, roman, Fayard, 1996 ;
Le Livre de Poche.

Deux étés,
roman, Fayard, 1997 ; Le Livre de Poche.

Longtemps,
roman, Fayard, 1998 ; Le Livre de Poche.

Portrait d'un homme heureux, André Le Nôtre,
Fayard, 2000.

La grammaire est une chanson douce,
Stock, 2001 ; Le Livre de Poche.

Madame Bâ,
roman, Fayard/Stock, 2003 ; Le Livre de Poche.

Les Chevaliers du Subjonctif,
Stock, 2004 ; Le Livre de Poche.

Portrait du Gulf Stream,
Éditions du Seuil, 2005 ; coll. « Points ».

Dernières nouvelles des oiseaux,
Stock, 2005 ; Le Livre de Poche.

Voyage aux pays du coton,
Fayard, 2006 ; Le Livre de Poche.

Salut au Grand Sud,
en collaboration avec Isabelle Autissier,
Stock, 2006 ; Le Livre de Poche.

La Révolte des accents,
Stock, 2007 ; Le Livre de Poche.

A380,
Fayard, 2007.

La Chanson de Charles Quint,
Stock, 2008 ; Le Livre de Poche.

L'Avenir de l'eau,
Fayard, 2008 ; Le Livre de Poche.

Courrèges,
X. Barral, 2008.

Rochefort et la Corderie royale,
photographies de Bernard Matussière,
Chasse-Marée, 2009.

Et si on dansait ?,
Stock, 2009 ; Le Livre de Poche.

L'Entreprise des Indes,
roman, Stock, 2010 ; Le Livre de Poche.

Princesse Histamine,
Stock, 2010 ; Le Livre de Poche Jeunesse.

Sur la route du papier,
Stock, 2012 ; Le Livre de Poche.

La Fabrique des mots,
Stock, 2013 ; Le Livre de Poche.

Mali, ô Mali,
Stock, 2014 ; Le Livre de Poche.

Passer par le Nord,
en collaboration avec Isabelle Autissier,
Paulsen, 2014.

La Vie, la Mort, la Vie,
Louis Pasteur 1822-1895,
Fayard, 2015.

L'intégrale africaine d'Erik Orsenna,
réunissant Madame Bâ, Mali, ô Mali,
Besoin d'Afrique,
Le Livre de Poche, 2015.

*Cet ouvrage a été composé
par Nord Compo à Villeneuve-d'Ascq (Nord)
et achevé d'imprimer en France
par CPI Bussière
à Saint-Amand-Montrond (Cher)
pour le compte des Éditions Stock
31, rue de Fleurus, 75006 Paris
en avril 2016*

Imprimé en France

Dépôt légal : avril 2016
N° d'édition : 04 – N° d'impression : 2022979
43-51-3339/6